Lise Gaudreault
le 28 juin 82

ARIOSO

Texte dramatique pour la télévision

Suivi de :

LE PAPIER D'ARMÉNIE

Texte dramatique pour la radio

LOUISE MAHEUX-FORCIER

ARIOSO

suivi de

LE PAPIER D'ARMÉNIE

PIERRE TISSEYRE
8955 boulevard Saint-Laurent — Montréal, H2N 1M6

Dépôt légal : 4e trimestre 1981
Bibliothèque nationale du Québec
Bibliothèque nationale du Canada

Photos André Le Coz

ISBN-2-89051-060-3

« *Car mon rêve impossible a pris corps*
et je l'ai entre mes bras pressé. »

Verlaine

ARIOSO

Texte dramatique pour la télévision

ARIOSO a été réalisé pour la télévision
de Radio-Canada
par:

JEAN FAUCHER

assisté par :

CÉLINE HALLÉE
et : PIERRE DAY

Les rôles principaux ont été interprétés
par :

DOROTHÉE BERRYMAN
GABRIELLE MATHIEU
YOLANDE ROY
LISETTE DUFOUR
MARCEL GIRARD

Au piano : CLAUDE SAVARD

Diffusion : le 31 janvier 1982

ARIOSO

PERSONNAGES

JULIE	25 ans. Blonde. A publié un premier livre.
SANDRA	23/24 ans. Brune. Adoptée en bas âge par la mère de Julie. Agent immobilier.
MÈRE (FRANÇOISE)	50 ans. Veuve depuis plusieurs années. S'occupe d'œuvres de charité.
LAURENT	37 ans. Homme d'affaires. Veuf depuis trois ans. Fils d'un ami de la famille.
MÉLIE	Jeune servante.
BARMAN	

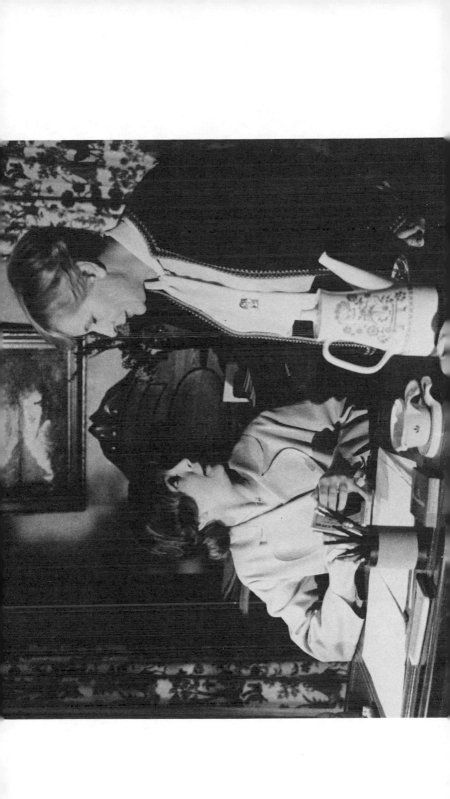

ARIOSO

SCÈNE 1

SALON-BIBLIOTHÈQUE.
JULIE EST ASSISE À SA TABLE DE
TRAVAIL.
LA CAMÉRA SE PROMÈNE AUTOUR
DE CETTE TABLE COMME POUR
L'EXAMINER, LA DÉTAILLER, EN
COMMENÇANT PAR LE BAS.
ON APERÇOIT, POSÉS SUR UN COUS-
SIN, LES PIEDS IMMOBILES DE JULIE,
LES PLIS DE SA ROBE, PUIS, DE
CÔTÉ, LA FORME DE SES GENOUX.
ENSUITE, ON A L'IMPRESSION DE
MONTER SUR LA TABLE (COMME
FERAIT UN CHAT) EN PASSANT PAR
UN ACCOUDOIR ET LE DOSSIER DU
FAUTEUIL.
ALORS, TRÈS LENTEMENT, SUBREP-
TICEMENT, PAR-DESSUS L'ÉPAULE
DE JULIE, ON DÉCOUVRE DANS LE
HALO DE LA LAMPE UN BLOC DE
PAPIER SUR LEQUEL SONT DÉJÀ
INSCRITS LES MOTS QU'ELLE VA
RELIRE INTÉRIEUREMENT.

PENDANT QUE LA CAMÉRA EXPLORE AINSI L'ÎLOT OÙ EST INSTALLÉE JULIE (LA TABLE ET TOUT CE QUI L'ENTOURE IMMÉDIATEMENT SONT DISPOSÉS SUR UN TAPIS ROND QUI DÉLIMITE SYMBOLIQUEMENT SON ESPACE PHYSIQUE ET SON ISOLEMENT MORAL), ON ENTEND SA VOIX (OFF) SUR UN TON TRÈS DOUX, TRÈS INTIME, APPUYANT SUR CHAQUE MOT, COMME LES CHERCHANT ENCORE... SUR LE TON, PRESQUE, D'UN POÈME, D'UNE INCANTATION, OU D'UN « RÉCITATIF » (ARIOSO).

JULIE (OFF)

Sandra...
Ma chère lointaine...
Mon étrangère...
Sandra du bout du monde...
Ma chère absente
Silencieuse
Partie...
Indifférente...
Sandra des étoiles
et du giron de la terre
Feuillage de ma forêt
Cher amour en forme d'oiseau,
de saison douce
et de pluie chaude...
Mon beau soleil
Sandra de la lune
et des temps heureux...
......
Sandra, je n'ai plus que ton nom.
Je n'ai plus pour avenir que les mots de notre histoire.

14

Je te les dédie l'un après l'autre, tels qu'ils viendront se blottir dans ma main vivante . . .

CAMÉRA DE BIAIS, DERRIÈRE JULIE QUI REGARDE SA MAIN DROITE, LA RETOURNE, PUIS AVISE LE POT DE CRAYONS ET CHOISIT UN STYLO.

APPARITION DE LA MÈRE AU FOND DE LA PIÈCE, DANS L'ENCADREMENT DE LA PORTE D'ARCHE.
LUMIÈRE TAMISÉE, UNIQUEMENT DIFFUSÉE PAR LA LAMPE DE JULIE, ET QUI LAISSE LA MÈRE DANS UNE DEMI-PÉNOMBRE.

MÈRE

(TRÈS DOUCEMENT. VOIX TRISTE)
Tu écris ?

JULIE A UN LÉGER SURSAUT.
UN PEU MAL À L'AISE, ELLE DÉPOSE LE STYLO ET PASSE LA MAIN DANS SES CHEVEUX.
ON LA VOIT DE DOS.

JULIE

J'essaie . . .

MÈRE

Oui . . . je te comprends . . .

15

As-tu tout ce qu'il te faut ?

ELLE DÉPOSE SON MANTEAU SUR
UN FAUTEUIL ET S'APPROCHE DE LA
TABLE EN EXAMINANT CE QUI S'Y
TROUVE.

MÈRE

Mélie n'a rien oublié ? . . .
Veux-tu que j'approche la lampe un
peu ?
(ESQUISSE LE GESTE)

JULIE

(CONTRARIÉE)
Non . . . laisse. C'est parfait comme
ça ! . . .
Tu sors ?

MÈRE

Pour une heure ; ça ne t'ennuie pas ?
Je viens d'avoir un appel de la Fonda-
tion . . . Un problème avec la vieille
Anaïs qui ne veut pas prendre ses médi-
caments . . .
(TON PLUS ENJOUÉ. SOURIANTE)
Je l'ai gâtée ! . . . Elle n'a confiance
qu'en moi !

JULIE

(SÈCHE)
Elle a raison. Vas-y. . . .

MÈRE

Elle s'est mis dans la tête que les autres
veulent l'empoisonner!

JULIE

Ce serait peut-être un service à lui
rendre!

MÈRE

(SCANDALISÉE)
Julie! qu'est-ce que tu racontes?

JULIE

(CALME)
Je dis qu'elle n'a plus rien à faire dans
le monde, cette pauvre vieille, malade...
abandonnée... en enfance...

MÈRE REGARDE JULIE AVEC PITIÉ.
UN TEMPS.

MÈRE

Préfères-tu que je reste avec toi?
Je peux quand même m'arranger/

JULIE

Non. Je préfère être seule. Va.

17

MÈRE RECULE UN PEU. PERPLEXE.
HÉSITANTE.

JULIE

(TON LÉGER)
Je t'assure ! Tu ne peux pas être utile
ici.

MÈRE

(DÉSOLÉE)
Il ne s'agit pas de ça ... Mais tu pourrais avoir envie de bavarder un peu ? . . .
Il me semble que tu te refermes de plus
en plus, ma petite fille/

JULIE

(AVEC IMPATIENCE)
Veux-tu cesser de t'inquiéter, c'est ma
nature ! . . . Rien que ma nature, pas
autre chose . . .
Maman . . . avant de partir . . . tu serais
gentille . . . va me chercher un livre/

MÈRE

(EMPRESSÉE)
Mais bien sûr . . . Lequel ?

MÈRE VA VERS LA BIBLIOTHÈQUE
ET JULIE DIT LES MOTS QUI CON-
VIENNENT POUR L'AIDER À REPÉ-
RER L'OUVRAGE :

JULIE

Là … à gauche … *Les poèmes satur-niens*
(MÈRE CHERCHE ET SE TROMPE)
Non … pas celui-là. À côté : Verlaine.

MÈRE TROUVE LE LIVRE ET S'AP-PROCHE.

JULIE

Merci. Pose-le là.

MÈRE

(QUITTANT LA TABLE)
Bon ! Une heure, pas plus !

JULIE

Le temps que tu voudras ! Mélie est là-haut ?

MÈRE

Oui, elle regarde la télé dans sa cham-bre, mais sa porte est ouverte.

ELLE VIENT EMBRASSER SA FILLE SUR LE FRONT. RAPPROCHE LA SONNETTE. TOUCHE LA CAFETIÈRE.

MÈRE

Il est froid/

JULIE

(PRESSANTE)
Maman ! veux-tu bien t'en aller ! Ta vieille
folle va encore écoper de la camisole de
force !

MÈRE SE DIRIGE VERS LA SORTIE
EN ATTRAPANT SON MANTEAU.

MÈRE

Oui... oui... À tout à l'heure, ma
chérie !

CAMÉRA SUR VISAGE DE JULIE EN
TRÈS GROS PLAN QUI REGARDE SA
MÈRE SORTIR.
EXPRESSION TOUT À FAIT NEUTRE
COMME REGARDANT DANS LE VA-
GUE.
UN TEMPS. FIXE.
LA CAMÉRA S'ÉLOIGNE LENTEMENT
JUSQU'À MONTRER DE FACE TOUTE
LA TABLE ET LE TAPIS ROND.

DISTRAITEMENT, MACHINALEMENT,
ET SANS REGARDER CE QU'ELLE
FAIT, JULIE VEUT POSER LA MAIN
SUR LA CAFETIÈRE POUR EN VÉRI-
FIER LA TEMPÉRATURE, MAIS ELLE
HEURTE LA TASSE QUI VA SE FRA-

CASSER SUR LE PARQUET CIRÉ, HORS DU TAPIS.

IL FAUDRAIT « VOIR » L'INCIDENT DE FAÇON À CE QU'IL ACQUIÈRE UNE IMPORTANCE UN PEU DRAMATIQUE (LE BRUIT DE LA PORCELAINE QUI SE BRISE) PUIS, ENFIN, LE VISAGE ÉTONNÉ DE JULIE CONSTATANT SA MALADRESSE MAIS N'ESSAYANT MÊME PAS DE SE PENCHER POUR RAMASSER LES DÉBRIS (ELLE SAIT QU'ELLE NE LE PEUT PAS ET LE SPECTATEUR A DÉJÀ COMMENCÉ À LE COMPRENDRE). ELLE FIXE LA TASSE. NAVRÉE. IMPUISSANTE.

TRANSITION :
JULIE RELÈVE LA TÊTE ET L'IMAGE SE BRISE AUSSI. ON ENTEND LE MÊME FRACAS SE PROLONGEANT EN ÉCHO (BEAUCOUP PLUS LÉGER) ET ON ENTRE AINSI DANS LE DÉCOR DU TABLEAU QU'ELLE VA ÉVOQUER.

*   *   *

SCÈNE 2

CHAMBRE DE JULIE ET DE SANDRA. UN AN AUPARAVANT. CAMÉRA SUR UNE TASSE EN MIETTES À TERRE À CÔTÉ DU LIT EN DÉSORDRE OÙ SANDRA EST ALLONGÉE.
JULIE S'AFFAIRE AUTOUR DU LIT. RAMASSE QUELQUES TESSONS AU HASARD.
GESTES DÉSORDONNÉS. GRANDE NERVOSITÉ.

N.B. AUTANT ELLE EST CALME ET IMMOBILE AU DÉBUT, AUTANT ELLE EST ACTIVE DURANT CETTE SCÈNE.

SANDRA RIT DOUCEMENT. ENJOUÉE. ESPIÈGLE. HEUREUSE DE VIVRE.
AU BOUT D'UN MOMENT, ELLE S'AS-SOIT SUR SES TALONS AU MILIEU DU LIT. ATTRAPE UNE BROSSE SUR LA TABLE DE CHEVET ET BROSSE SES CHEVEUX.

N.B. LE CHAT NOIR ADULTE DOIT ÊTRE APERÇU. DISCRÈTEMENT.

JULIE

(FURIEUSE)
Tu l'as fait exprès!

SANDRA

Oui! je l'ai fait exprès!... Là... Pour t'embêter! Pour te forcer à t'asseoir... à prendre conscience du ridicule!

JULIE

(IMPÉRATIVE)
Sors de ce lit, Sandra!

SANDRA

Une tasse! Ce que c'est qu'une tasse!...
Un vulgaire objet utilitaire!...
Rien du tout!... Je te comprendrais d'être en colère si j'avais cassé une poterie précieuse, une céramique ancienne, quelque chose de beau! quoi! ... Mais on devrait boire dans nos mains plutôt que de boire là-dedans! Je l'avais en horreur, cette tasse, si tu veux savoir!

JULIE, À GENOUX, TENTE DE RAMASSER LES DÉBRIS SANS RÉPLIQUER.

SANDRA

(ENTRE LES DENTS)
Une vraie maniaque !
(PRESSANTE)
Julie ! viens t'asseoir ici . . .
(ELLE FAIT LE GESTE D'INVITE, INDI-
QUANT LA PLACE À CÔTÉ D'ELLE) :
J'ai quelque chose à te dire !

JULIE

C'est bien le moment ! Regarde-toi !
Regarde la chambre ! Et dans quel état
je suis ! . . .
Tu as vu l'heure ? . . . Toujours en fo-
lies ! . . .
Je t'ai pourtant assez répété que pour
maman, c'est sérieux . . . Pour elle seule !
Je ne te demande pas d'aller dans la
lune . . . mais d'emménager à côté, pour
une heure ou deux ! . . .
Remue-toi un peu, Sandra ! Aide-moi ! . . .
Ramasse tes affaires !

ELLE CONTINUE DE FAIRE DE L'OR-
DRE, MAIS D'UNE FAÇON INCOHÉ-
RENTE. AFFOLÉE.
SANDRA S'ENTÊTE À RESTER AU
LIT.

JULIE

(APPUYANT SUR CHAQUE MOT)
Je te demande seulement d'être correcte
quand maman vient nous voir . . . et de
retourner dans ton ancienne chambre.

SANDRA

(TON FAUSSEMENT MISÉRABLE ET ENFANTIN)
Dans la petite chambre de l'orpheline ! Bonjour bébé Sandra ! Bonjour petite sœur de Julie !... Finis la crèche et les mauvais soins !... Viens au chaud dans la belle petite chambre que ta bonne maman adoptive a préparé pour toi/

JULIE

Ça suffit ! Tu vas bouger ou quoi ?

ELLE VA PRÈS D'ELLE POUR TENTER DE LA SECOUER. SANDRA RÉSISTE. SE CACHE SOUS LES COUVERTU-RES.

SANDRA

(BUTÉE)
Non ! Je regrette !

JULIE

Sandra, je t'avertis, je suis au bord de la crise de nerfs !

SANDRA

Tant mieux ! Ça réveille, ça fouette,

c'est bon, la crise de nerfs!... Tu devrais en faire plus souvent... ça t'embellit! Ça te donne du piquant!
(RADOUCIE. ENJÔLEUSE)
Écoute, Julie... sois raisonnable...
Ta mère n'est pas complètement idiote!
... Pas brillante à mon avis, mais de là à ne s'être aperçue de rien depuis dix ans... de là à n'avoir rien soupçonné depuis qu'elle a pris la porte!...
Pourquoi est-elle partie, tu penses?

JULIE

(ÉTONNÉE)
Mais... parce qu'on habite trop loin de la ville, c'est tout!... parce que ses vieilles toquées la réclamaient... Parce qu'elle est généreuse et qu'elle donnerait sa vie pour soulager la misère humaine...
Tu devrais le savoir: elle a commencé par toi!

SANDRA

Eh oui!... (SOUPIR) la sainte femme!
Tu es sûre qu'elle n'a pas pris le voile dernièrement?
(ELLE SE LÈVE EN S'ÉTIRANT. JETTE LA BROSSE PAR TERRE.
CHERCHE SES PANTOUFLES.)
ou qu'elle n'a pas croulé sous le poids de son auréole?...

JULIE

Mon Dieu que tu la détestes, Sandra!

Pourquoi ?

SANDRA MARMONNE LES BOUTS DE
PHRASES SUIVANTS EN CHERCHANT
SES PANTOUFLES QU'ELLE NE MET-
TRA D'AILLEURS PAS, PRÉFÉRANT
LES DONNER AU CHAT OU LES LAN-
CER DANS UN COIN POUR MARCHER
PIEDS NUS.
JULIE CONTINUE DE S'AFFAIRER.
CHOISIT DES VÊTEMENTS. LES ÉTA-
LE SUR LE LIT, ETC., ETC.

SANDRA

Des vieilles toquées dans des mou-
roirs !... Des filles-mères au désespoir
dans des taudis pas chauffés !... Des
enfants battus !... Des infirmes... Des
alcooliques... Des fous !... Ça, on peut
dire qu'elle s'en occupe de la misère
humaine !
(JONGLE AVEC LES PANTOUFLES.
S'AMUSE)
Mais qu'est-ce qui lui prend donc aujourd'hui ?... Il n'y a personne en ville
qui menace de se suicider ?
......
Oui... je la déteste.

JULIE

Pourquoi ?

SANDRA

Un sépulcre blanchi ! Une hypocrite !

27

Une égoïste !... C'est son bonheur qu'elle cherche, pas celui des autres !! Tu n'as pas encore compris ça ? et que le bonheur pour elle, c'est de régenter l'univers ?

JULIE

Tu es stupide... méchante... et injuste !
Pour la dernière fois, Sandra, ramasse tes « traîneries » et va dans l'autre chambre.
Tiens, attrape !

ELLE LUI LANCE QUELQUES PIÈCES DE VÊTEMENTS À LA TÊTE ET RAMASSE LA BROSSE.

SANDRA

Ce n'est pas une chambre ! C'est un débarras ! Ça pue le moisi !...
De six mois en six mois, la vermine a le temps de s'y installer... Oui...
(ESPIÈGLE) je te jure... la nuit dernière, pendant que tu dormais comme une bûche, j'ai entendu de petits grignotements dans les murs !...
Moi qui ai tant peur des souris !...
Crois-moi, c'est devenu un repaire de souris !

JULIE

(RETENANT UNE SUBITE ENVIE DE

RIRE)
Appelle ça comme tu voudras et n'essaie
pas de m'attendrir avec tes inventions !
Quand maman vient, c'est « ta » chambre ... comme autrefois !

ELLE SE DIRIGE VERS LA COMMODE.
OUVRE DES TIROIRS. CHERCHE
QUELQUE CHOSE. UN FICHU, OU UN
COLLIER DANS LA BOÎTE À BIJOUX.

SANDRA

(MAUSSADE)
Pour ce qui est des idées fixes, tu es
bien sa fille !
(ELLE RETAPE LE LIT. MALADROITE-
MENT. IL RESTERA MAL FAIT.
UN TEMPS.
JULIE DÉNOUE LA CEINTURE DE SA
ROBE DE CHAMBRE ET SANDRA LA
REGARDANT, RIEUSE, AJOUTE) :
pas pour le reste ! heureusement !

JULIE ENLÈVE SA ROBE.
ON LA VOIT UN COURT MOMENT
TOUTE NUE. ELLE AGIT NATUREL-
LEMENT. SANS PUDEUR, MAIS
SANS PROVOCATION NON PLUS.
SANDRA LA CONTEMPLE TENDRE-
MENT.

SANDRA

Comme tu es belle ! Reste comme ça !
j'en ferai autant ! ... (SUPPLIANTE)

Dis oui ! ce serait drôle !

JULIE COMMENCE À S'HABILLER.

JULIE

Très drôle !... Tordant !

SANDRA

Quoi ! on ne peut pas toujours être sérieux dans la vie ! Ah ! mon pauvre chou ! si tu ne m'avais pas pour rire un peu de temps en temps !... tu serais comme ça ! tiens : (ELLE SE COMPOSE UN VISAGE DE CLOWN TRISTE)... Tu ferais pleurer les meubles !

JULIE TERMINE DE S'HABILLER EN HÂTE.

JULIE

(SOUDAIN PLUS SEREINE)
Quelquefois, je me dis que tu as raison, Sandra... (TRÈS RADOUCIE)
Je suis fatiguée, moi aussi, de mentir et de jouer la comédie...
Tu ne peux pas savoir comme je suis fatiguée...
même qu'il m'arrive de rêver en couleurs... comme toi !

ELLE VA VERS LA COMMODE ET LE

MIROIR.
ARRANGE SES CHEVEUX.
SE MAQUILLE LÉGÈREMENT. CHOISIT
ENTRE LE COLLIER OU LE FICHU.
SANDRA S'APPROCHE LENTEMENT
D'ELLE.
SURPRISE. RAVIE. ÉBLOUIE.

JULIE

Maman entrerait dans la maison de notre
amour, dans notre belle maison habitée,
vivante, joyeuse ...
Je lui sauterais au cou ... même en robe
de chambre à cinq heures de l'après-
midi ...
Elle sourirait, elle comprendrait que j'ai
bien travaillé, que j'ai bien fait l'amour ...
que je suis heureuse ... heureuse ...

SANDRA

(AU COMBLE DE L'ÉMERVEILLE-
MENT)
Tu vois comme c'est simple ?

ELLE VIENT DERRIÈRE JULIE.
L'ENTOURE DE SES BRAS.
COLLE SA JOUE À LA SIENNE ET LA
FORCE À SE REGARDER AVEC ELLE
DANS LA GLACE.

SANDRA

Regarde-toi, Julie ! Regarde-nous ...

Je voudrais que la terre entière nous
regarde . . .
Le bonheur ! . . .
C'est si rare, un beau bonheur bien vrai !

TRÈS BELLE IMAGE FIXE PENDANT
UN MOMENT.
SÉRÉNITÉ ABSOLUE.

SONNERIE DE LA PORTE.

JULIE

(DE NOUVEAU TRÈS NERVEUSE)
C'est la dernière fois, je te le promets . . .
je lui parlerai . . .
Peut-être même aujourd'hui . . .
File, et habille-toi !

ELLES SORTENT.

LA CAMÉRA REVIENT SUR QUEL-
QUES DÉBRIS DE LA TASSE, OUBLIÉS
SUR LA DESCENTE DE LIT (LE CHAT
ADULTE A REPÉRÉ CES TESSONS
ET VIENT S'AMUSER).
ON ENTEND LA VOIX LOINTAINE DE
LA MÈRE. ESSOUFFLÉE.
AFFAIRÉE.

N.B. ON DOIT SENTIR LA PRÉSENCE
DU CHAT D'UNE MANIÈRE OU D'UNE
AUTRE SANS QU'IL AIT L'IMPORTAN-
CE QU'IL AURA PLUS TARD.

MÈRE

Je dépose mon manteau ici... ne te
dérange pas... je ne peux pas rester
longtemps...
Sandra est là?
Allons dans ta chambre, c'est plus intime... j'ai à te parler sérieusement...

ELLES ENTRENT.
JULIE EST UN PEU CÉRÉMONIEUSE.
MAL À L'AISE.
SA MÈRE SE COMPORTE AVEC
BEAUCOUP PLUS DE NATUREL ET
PREND PLACE DANS LE FAUTEUIL
QU'ELLE CONNAÎT BIEN, EN POSANT
SON SAC SUR UNE PETITE TABLE.
ELLE JETTE UN REGARD CIRCULAIRE
ET RÉPROBATEUR SUR LE DÉSOR-
DRE QUI RÈGNE DANS LA PIÈCE.

JULIE

Tu as bonne mine!

MÈRE

Je ne te retourne pas le compliment!...
Le décor non plus d'ailleurs n'a pas bien
bonne mine! Quelle vie mènes-tu?
De toute façon, là n'est pas la ques-
tion... tu vas changer de vie!
Où est Sandra?

JULIE S'EST ASSISE AU BORD DU LIT

ET RAMASSE UN MORCEAU DE POR-
CELAINE QU'ELLE VIENT D'APERCE-
VOIR. ELLE LE TIENT SERRÉ DANS
SA MAIN QUI SE REFERME. CRISPÉE.

JULIE

Dans sa chambre.

MÈRE

Referme la porte, veux-tu?

JULIE OBÉIT ET REVIENT S'ASSEOIR.
ELLE CARESSE LE CHAT EN PAS-
SANT.
ELLE TIENT TOUJOURS SON TES-
SON.

MÈRE

Laurent est encore venu... tu sais
pourquoi!

JULIE

(ENNUYÉE)
Mais oui, maman... C'est pour ça que
tu t'es dérangée? Ça fait au moins six
mois que tu nous as rendu visite/

MÈRE

Je n'avais pas le temps aujourd'hui non

plus, figure-toi ! Mais j'en ai assez de
tes réponses évasives au téléphone.

JULIE

(CATÉGORIQUE)
La réponse est toujours la même, et pas
évasive du tout : c'est non !

MÈRE

(CHERCHANT DANS SON SAC)
Bon ! calmons-nous . . . Donne-moi une
cigarette . . . j'ai oublié les miennes.

PENDANT QUE JULIE S'EXÉCUTE ET
VA CHERCHER CE QU'IL FAUT :

MÈRE

Ça m'est défendu, mais je triche . . .
Tu as cessé, toi ?

JULIE ALLUME LA CIGARETTE DE SA
MÈRE ET PENDANT QU'ELLE DIT :

JULIE

Oui . . . Non . . . J'ai diminué . . . Tu vas
les trouver sèches . . .

LA MÈRE S'APERÇOIT QU'ELLE A
QUELQUE CHOSE DANS LA MAIN.

MÈRE

Qu'est-ce que c'est?

JULIE

Rien ... Un morceau de vitre.

MÈRE

Quelle sorte de vitre? Tu as brisé un carreau?

JULIE

(RIEUSE)
Mais non, que vas-tu chercher?

MÈRE

(SÉRIEUSE)
Je trouve la maison bien délabrée, Julie ... ça se voit de l'extérieur ... Je sais qu'elle est grande ... vous êtes très prises toutes les deux ... vous n'avez pas les moyens d'engager du personnel ... mais tout de même ... Enfin! nous allons régler ça aussi, en même temps! ... parce que ta réponse, ma fille, elle va cesser d'être négative/

JULIE

Je ne vois qu'une solution: la mettre en vente! L'acheteur est tout trouvé! il a

36

l'œil dessus depuis toujours! Tu n'as qu'à lui annoncer la nouvelle en primeur. Et s'il est aussi grand seigneur que tu le dis, « ton Laurent », il pourrait passer par Sandra pour la transaction ... Nous, avec la commission, on pourrait souffler quelques mois dans un petit appartement, c'est tout! ... Voir venir ... s'organiser ... Parce que, tu comprends, mes droits d'auteur ... ce n'est pas encore tout à fait « astronomique »! ... Un premier livre, ça se vend ... comme ça peut! Ça va chercher comme revenu ... tu veux des précisions? Eh bien! ça ne paie même pas le restaurant qu'on s'offre une fois par semaine! Alors, tu penses : une maison pareille sur le dos! ... et toi qui te ruines en dons de charité! sans jamais nous donner un sou/

MÈRE

Assez, Julie! Je t'ai donné la maison!

JULIE

Avec l'hypothèque!

MÈRE

Nous en reparlerons, de l'hypothèque! Pour l'instant, ce n'est pas de l'avenir de la maison qu'il s'agit! ni de la carrière de Sandra dans l'immobilier, ni même de la tienne, tout autant farfelue! ... (GENTILLE)

À quoi pensez-vous donc, mes petites filles?...
C'est ton avenir qui est en cause...
ton avenir de femme... pas d'écrivain!

JULIE

Mon avenir avec Laurent, tu veux dire...
c'est ça?

MÈRE

Parfaitement!

JULIE

Ça recommence! (IMPATIENTÉE)
Je t'ai dit cent fois, mille fois! que Laurent ne me plaît pas... que je ne l'aime pas!

MÈRE

Fais attention aux grands mots, Julie...
L'amour, ce n'est pas forcément de première importance...
Pour le temps que ça dure!
(PENSIVE ET ATTRISTÉE)
Entre ton père et moi ça a duré tout juste un an: le temps de t'avoir!

JULIE

Ce n'était pas de l'amour!

38

MÈRE

Parce que toi, tu sais ce que c'est?
Tu l'écris avec un « a » majuscule et
tu le conjugues avec « toujours » ?

JULIE

Oui . . .

MÈRE

Dans ce cas, j'ai bien peur que tu n'écri-
ves jamais que des romans à l'eau de
rose ! Comme le premier !

JULIE A LES YEUX PLEINS D'EAU
EN REGARDANT SA MÈRE. ON SENT
QU'ELLE LA DÉTESTE À CE MOMENT.
CELLE-CI, MALHEUREUSE, SE LÈVE
VIVEMENT, VIENT VERS SA FILLE ET
LUI PASSE AFFECTUEUSEMENT LA
MAIN DANS LES CHEVEUX.

MÈRE

Pardonne-moi, mon enfant, ce n'est pas
ce que j'ai voulu dire . . . je suis tellement
nerveuse . . . Je t'en prie, pardonne-
moi . . . Il est très beau, ton premier
livre/

JULIE

(LA VOIX ENCORE ENROUÉE DE

39

CHAGRIN)
Ne t'en fais pas ! Moi, je trouve que c'est très bien de commencer par l'eau de rose ; le vinaigre vient toujours assez vite !

MÈRE VA VERS LA COMMODE. TOURNE LE DOS À SA FILLE QU'ON VOIT DANS LA GLACE, EN TRAIN DE JOUER AVEC LE MORCEAU DE PORCELAINE. UN TEMPS.

MÈRE

Dis-moi seulement une chose, Julie...
(HÉSITANT)
Aimes-tu quelqu'un d'autre ?
(INQUIÈTE. GÊNÉE. ELLE PENSE À SA CONVERSATION AVEC LAURENT-SCÈNE 12)
... quelqu'un ... que tu ne peux pas épouser ?

JULIE

......

MÈRE

(SE RETOURNANT)
Réponds-moi !

JULIE

(TOUT BAS)
Je voudrais bien te répondre, mais tu ne

comprendrais pas . . .
(ELLE SE LÈVE À SON TOUR. NER-
VEUSE. ESSAYANT D'ALLÉGER L'AT-
MOSPHÈRE, ELLE ENCHAÎNE) :
maman, parlons d'autre chose . . .
(TON RAFFERMI)
Veux-tu un café ? Un apéritif ? Tu dînes
avec nous au moins ?/

MÈRE

(AUTORITAIRE)
Reste où tu es !
Qu'est-ce que je ne comprendrais pas ?
Veux-tu bien me dire ce qu'une mère
ne peut pas comprendre ?

JULIE

(SE RASSOIT. RÉSIGNÉE)
Rien . . .

MÈRE

Je suis découragée de toi, Julie. C'est
vrai que je n'arrive pas à te cerner . . .
Comment se fait-il qu'aucun garçon jusqu'ici . . . Je ne parle pas seulement de
Laurent/

JULIE

(HAUSSANT LE TON. PRESQUE INSO-
LENTE)
Alors, démissionne ! et laisse-moi tran-

quille ! On n'est plus au temps des confi-
dences à tout prix et des mariages
organisés !
(TROUBLÉE)
Peut-être un jour ... plus tard/

MÈRE

(REVENANT À LA CHARGE. INSIS-
TANTE)
Mais, à la fin, que lui reproches-tu à cet
homme qui t'aime depuis toujours et que
son mariage avec une autre femme n'a
pas détourné de toi ?
(COMME POUR ELLE-MÊME)
Sa famille et la nôtre ... si unies quand
ton père vivait ...
Évidemment, c'est différent aujour-
d'hui ... Une femme seule comme moi/

JULIE

Papa est mort ... (TRISTE) depuis toujours, il me semble ! et (PLUS FERME)
Laurent est veuf depuis trois ans ! Épou-
se-le, toi ! La différence d'âge n'est pas
plus grande entre toi et lui qu'entre lui
et moi ... Douze ans et demi !
Kif-kif ! ... (IRONIQUE)
Tu trouves des pauvres dans les environs
et tu reviens ici, vivre ta lune de miel !/

MÈRE

(OUTRÉE)
Je ne te permets pas de m'insulter, ma

fille ! Tu vas me faire le plaisir de changer de ton !

. . . . . .

Où est Sandra ?

JULIE

Je te l'ai dit : elle est dans sa chambre. En train de s'habiller !

MÈRE

De s'habiller ? À cette heure-ci ? . . .
Tu as prétendu hier, au téléphone, qu'elle est débordée de travail . . . qu'elle a des clients tous les jours ?

JULIE

(EMBARRASSÉE)
Elle est venue prendre un bain et se changer. Mais qu'est-ce que tu lui veux ?

MÈRE

La voir. Lui parler . . . Avec toi, c'est devenu impossible !

JULIE

Et tu crois que ça ira mieux avec elle ? . . .
Ma pauvre maman, cette histoire de mariage, on est deux, figure-toi, à en avoir par-dessus la tête ! Et la plus violente,

ce n'est pas moi, tu devrais le savoir ! . . .
Depuis le temps !

MÈRE

Que trop ! . . .
Alors, vous êtes encore de connivence ?
contre moi ? contre lui ?
C'est Sandra qui t'influence ? . . . Elle
aurait préféré qu'il la choisisse, elle ?

JULIE

(POUFFE DE RIRE)
En tout cas, il aurait perdu moins de
temps à attendre la réponse ! Il l'aurait
eu en plein visage, la réponse, quand il
me tournait autour, alors que sa femme
était encore de ce monde . . .

SUR CES DERNIERS MOTS, JULIE
REGARDE VERS LA PORTE CLOSE.
ELLE DEVIENT RÊVEUSE. DISTRAITE.
LA MÈRE VA CONTINUER DE PARLER
PENDANT QUE JULIE VA VIVRE EN
IMAGINATION UNE SCÈNE TRÈS
DOUCE ET TRÈS TENDRE AVEC
SANDRA.

LES PHRASES DE LA MÈRE PEUVENT
ÊTRE « POSÉES » EN SOURDINE (ET
ESPACÉES) SUR L'APPARITION DE
SANDRA.
(PEUT-ÊTRE EN CONTREPOINT AVEC
LE COURT DIALOGUE JULIE/SAN-
DRA).

IMAGE :

VÊTUE ENCORE DE SA TUNIQUE, PIEDS NUS, LES CHEVEUX RÉPANDUS SUR LES ÉPAULES, SANDRA «PASSE AU TRAVERS DE LA PORTE».
ELLE TIENT DANS SES BRAS UNE ÉNORME BRASSÉE DE FLEURS DES CHAMPS.
ELLE S'APPROCHE DU LIT, ÉPARPILLE LES FLEURS AUTOUR DE JULIE EN LUI SOURIANT.
PUIS ELLE S'ASSOIT EN TAILLEUR DEVANT ELLE.
TOUT ÉLÉMENT DE DÉCOR DISPARAÎT.
LA CAMÉRA NE RETIENT PLUS QUE LES PROFILS DES DEUX JEUNES FILLES DANS UN ÉCLAIRAGE FÉÉRIQUE.
(« EFFETS SPÉCIAUX »)
SCÈNE TRÈS TRÈS LENTE.
PEUT-ÊTRE AU « RALENTI », MÊME SI, DANS CE CAS, LE DIALOGUE DOIT ÊTRE ENTENDU « OFF ».

PHRASES DE LA MÈRE :

Il fait peine à voir . . .

. . . . . .

Imagine-toi qu'il s'est encore fait précéder d'un bouquet de roses.

. . . . . .

Tu ne veux même plus l'entendre . . .

. . . . . .

Qu'est-ce qu'il t'a fait, Julie ?

. . . . . .

Il m'a raconté quelque chose d'étrange . . . de confus . . .

45

. . . . . .
Un incident qu'il se reproche . . .
(VOIX DIMINUE . . . S'ÉLOIGNE)

Il m'a dit qu'un jour, à son bureau . . .
alors qu'il t'avait convoquée sous un
faux prétexte . . .
il a tenté . . .

DIALOGUE EN CONTREPOINT :

SANDRA

(JETANT LES FLEURS SUR LE LIT)
Je suis allée ce matin au bois . . . et j'ai
cueilli des fleurs . . . pour toi, mon amour,
pour toi . . .

JULIE

N'écoute pas . . . Il ne s'est rien passé
avec Laurent !
Il ne s'est jamais rien passé avec quelqu'un d'autre que toi !

SANDRA

Pourquoi me le dire ? (ELLE LUI MET
UN DOIGT SUR LA BOUCHE) . . .
Chut ! . . .

SANDRA ESQUISSE LE GESTE DE
PRENDRE LE VISAGE DE JULIE EN-
TRE SES DEUX MAINS ET D'APPRO-

CHER SES LÈVRES DES SIENNES.
À CE MOMENT :

MÈRE

(PLUS FORT)
Julie, tu m'entends ?

JULIE REVIENT À LA RÉALITÉ.
LE DÉCOR REDEVIENT NORMAL.
SUBITEMENT CONSCIENTE DE LA
PRÉSENCE DE SA MÈRE ET COMME
VOULANT SE DÉGAGER DE SANDRA,
JULIE SE BLESSE LA MAIN EN SER-
RANT TROP FORT LE MORCEAU DE
PORCELAINE. ELLE POUSSE UN
LÉGER CRI DE DOULEUR.
AFFOLEMENT DE LA MÈRE QUI SE
LÈVE ET VA VERS ELLE.

MÈRE

Qu'est-ce que tu as ? . . . Laisse voir ! . . .
Tu t'es blessée ?

JULIE

Ce n'est rien . . . Cesse de t'énerver
comme ça !

MÈRE

(CHERCHANT QUELQUE CHOSE
POUR ÉPONGER LA BLESSURE)

47

Sandra !
Où est Sandra ? ... Cette fille est in-
supportable ! ...
Elles sont en train de devenir folles ..
. . . . . .
Laurent a raison ...
. . . . . .
Sandra !

SANDRA APPARAÎT, TRÈS CALME,
DANS L'EMBRASURE DE LA PORTE
QU'ELLE A OUVERTE DOUCEMENT.
CETTE FOIS, ELLE EST HABILLÉE
TRÈS CONVENABLEMENT.

SANDRA

Bonjour, mère.

PUIS, SUBITEMENT INQUIÈTE EN
APERCEVANT JULIE, ELLE INTERRO-
GE LA MÈRE DES YEUX ET SE PRÉ-
CIPITE VERS LE LIT. S'AGENOUILLE
DEVANT JULIE ET PREND LA MAIN
BLESSÉE DANS SES MAINS ... AP-
PROCHE SES LÈVRES ... ET L'IMAGE
SE « DÉFAIT » AVEC LE MÊME BRUIT
EN ÉCHO QUE LA TASSE BRISÉE.

*   *   *

SCÈNE 3

SALON – BIBLIOTHÈQUE.
JULIE PASSE LES MAINS SUR SON
VISAGE COMME POUR EFFACER LA
VISION.
ELLE PREND LE STYLO, MAIS LE
TIENT COUCHÉ SUR LE PAPIER,
SANS ÉCRIRE ENCORE.
MONOLOGUE INTÉRIEUR PENDANT
QUE LA CAMÉRA, TRÈS DOUCE-
MENT, S'EN VA DÉCOUVRIR LE CHAT
NOIR ADULTE BLOTTI DANS UN
FAUTEUIL EN FACE DE JULIE.
ON LE VOIT D'ABORD DE LOIN, DANS
LE COIN-SALON. PUIS, ON S'EN AP-
PROCHE JUSQU'À NE VOIR QUE SA
TÊTE EN GROS PLAN, PUIS SES
YEUX.
SUR LES DERNIERS MOTS DU MO-
NOLOGUE, FAIRE ALTERNER LES
YEUX DU CHAT ET CEUX DE JULIE.

Si lointaine sois-tu maintenant, disparue
tout à fait aux yeux des autres . . .
évanouie comme un nuage . . .
il me semble mieux sentir ta présence
qu'aux moments les plus extrêmes de
ton emprise sur moi . . .

. . . . . .
Les fleurs répandent ton parfum . . .
Les objets se souviennent de tes
doigts . . .
(VOIR FLEURS ET BIBELOTS)
et même si ton nom n'est plus jamais
prononcé devant moi, chaque instant le
murmure . . .
J'entends ta voix comme de la musique,
mieux qu'aux temps les plus sonores
de notre vie . . .
ta voix merveilleuse qui égrène encore
sur mon silence les ariosos d'autrefois . . .
. . . . . .
Personne d'autre au monde n'est plus
vivant que toi, Sandra des nuages . . .
tant que je suis là pour écrire ton histoire
et la mienne . . .
(ELLE DÉCAPUCHONNE LE STYLO.
VOIX TRÈS ÉMUE)
Donne-moi la main . . .
Regarde-moi dans les yeux . . .
(GROS PLAN DES YEUX DU CHAT)
J'entends ton cœur battre au même
rythme affolé qu'aux jours les plus fous,
quand nous devions nous toucher en
secret et ternir d'un voile d'indifférence
l'éclat trop brillant de nos regards . . .

*   *   *

SCÈNE 4

SALON-BIBLIOTHÈQUE. DEUX ANS
AUPARAVANT.
SANDRA ENTRE EN COUP DE VENT
DANS LA PIÈCE. DE LA NEIGE SUR
LA TÊTE ET LES ÉPAULES.
JULIE EST EN TRAIN DE METTRE DE
L'ORDRE SUR SA TABLE, OU PRÈS
DE LA BIBLIOTHÈQUE, EN TRAIN DE
CLASSER DES LIVRES.
ELLE SURSAUTE.

SANDRA

(RAYONNANTE)
Ça y est, Julie ! Ils ont signé !
Tu entends ? . . . Ils ont signé !

JULIE

Enlève tes bottes, Sandra ! tu vas tout
salir !

D'UNE MAIN, SANDRA TIENT SON MANTEAU FERMÉ SUR SA POITRINE ET, DE L'AUTRE, ELLE TEND SON PORTE-DOCUMENTS À JULIE QUI VIENT VERS ELLE EN SOURIANT.

SANDRA

(EXUBÉRANTE)
Tiens ! les papiers sont là !
Prends . . . Ouvre . . .

DE SA MAIN LIBRE, SANDRA ENLÈVE SES BOTTES ET LES LAISSE SUR PLACE.
JULIE, QUI A PRIS LE PORTE-DOCUMENTS, LE POSE PAR TERRE, VA RANGER LES BOTTES UN PEU PLUS LOIN, REVIENT VERS SANDRA QU'ELLE EMBRASSE SUR LE BOUT DU NEZ, PUIS PORTE LA MAIN AU MANTEAU POUR L'OUVRIR MAIS SANDRA RÉSISTE.

JULIE

Qu'est-ce que c'est ?

SANDRA

(COMME N'AYANT PAS ENTENDU. PAR JEU. POUR FAIRE LANGUIR JULIE)
Enfin ! ils se sont décidés ! . . . Dix fois au moins que je la leur ai montrée, cette maison ! . . . Sans compter les autres . . .

La mieux située... la plus grande... celle qui a deux cheminées en pierres des champs... celle qui a des fenêtres en ogive... En veux-tu des maisons? j'en ai!... J'en ai trop!... Ah! Julie! je n'aurais jamais cru que c'était si difficile, si fatigant...
Je suis morte!

ELLE SE LAISSE TOMBER DANS UN FAUTEUIL.
TOUJOURS TENANT SON MANTEAU FERMÉ.
JULIE L'OBSERVE, DEBOUT PRÈS D'ELLE.

SANDRA

(IMPATIENTE)
C'est tout ce que tu trouves à dire? Danse! Ris!... fais quelque chose! Tu n'es pas contente?

JULIE

Mais si, je suis contente... mais tu m'intrigues... Qu'est-ce que tu caches là... dans ton manteau?

SANDRA INDIQUE LE PORTE-DOCUMENTS.

SANDRA

Donne! Je te fais voir les papiers!...

Donne !

AU MOMENT OÙ ELLE SE PENCHE,
LA TÊTE D'UN TRÈS JEUNE CHAT
ÉMERGE DU COL DE FOURRURE.
JULIE S'EN EMPARE EN RIANT.
LE CAJOLE ET S'EN VA S'ASSEOIR
À SA TABLE OÙ ELLE DÉPOSE LA
BÊTE AU MILIEU DES PAPERASSES
POUR L'EXAMINER.

JULIE

Qu'il est beau ! Où l'as-tu déniché ?
Quels yeux ! Tu as vu ses yeux ?...
Des yeux dorés !...
La jolie surprise, ma Sandra ! Il est à
toi au moins ? À nous ? Raconte ?...

SUREXCITÉE, SANDRA ENLÈVE SON
MANTEAU. PREND LE PORTE-DOCU-
MENTS. L'OUVRE ET CHERCHE.

SANDRA

Tu veux voir les papiers ?

JULIE

Comment ? c'est un chat de race ?

SANDRA

(FROISSÉE)

Ça, par exemple ! On peut dire que mon exploit t'intéresse !

(CHERCHANT TOUJOURS)

Je parle de l'offre d'achat . . .

(NERVEUSE. FOUILLIS DANS SES PAPERASSES QU'ELLE LANCE PARTOUT)

Ah non ! je ne l'ai quand même pas perdue ! . . . Julie, viens m'aider ! . . . Non, laisse . . . je l'ai !

(ELLE ADMIRE LE PAPIER)

Je n'ai jamais vu un si beau document !

(ELLE SE LÈVE ET VA VERS SA TABLE. VOLUBILE)

Où est ma calculatrice . . . Voyons . . .

(ELLE TROUVE)

Voyons . . . sept pour cent . . . divisé par deux . . . divisé par deux encore . . .

(ELLE SE TROMPE. RECOMMENCE . . . TOUT EN CONTINUANT DE PARLER)

et tu ne sais pas ? à la dernière minute, ils ont failli se raviser . . . La cliente aurait voulu plus d'arbres . . . des arbres qui font des fleurs . . . des catalpas, je crois . . .

Il y en a, des arbres, mais moi, tu comprends, je ne les ai pas comptés . . . D'ailleurs, je serais bien en peine de reconnaître un arbre à fleurs en plein hiver ! Toi, tu pourrais . . . évidemment/

JULIE

Et toi, tu pourrais peut-être me dire d'où vient ce chat ? si ça ne te dérange pas trop dans tes calculs ?

SANDRA

(AYANT FINI DE CALCULER SA COM-
MISSION. SOLENNELLE)
Julie! me voilà riche! Tu veux la lune?... C'est combien, une lune, à ton
avis? ou bien une étoile... Tu préfères
une étoile?

ELLE VIENT VERS JULIE.

SANDRA

Eh bien! la sauvageonne... je t'achè-
terai un nuage... Pour te cacher dedans!

CÂLINE. SE PENCHANT VERS JULIE
QUI CARESSE LE CHAT EN SOU-
RIANT.

SANDRA

Je te dis le chiffre ou non?

ELLE LE LUI MURMURE À L'OREILLE.

JULIE

Ah oui?

SANDRA

Ah oui, quoi?... Bien sûr, ce n'est que

56

de l'argent, après tout!... C'est vulgaire... Ça n'entre pas dans tes considérations... Tes personnages, ils n'ont pas tellement de soucis, je suppose, de ce côté-là?
(AVEC EMPHASE. SE MOQUANT MAIS SANS MÉCHANCETÉ)
Ils ne sont la proie que de nobles angoisses peut-être?... Ils s'entretiennent de choses graves... capitales... la vie... la mort...
(REDEVENANT NATURELLE)
T'es-tu seulement aperçue, Julie, que la question d'argent, c'est presque une question de vie ou de mort pour nous deux?
(AVEC ASSURANCE. CABOTINE)
Heureusement, je suis là!

JULIE

Calme-toi, à la fin! Tu vas finir par tout gâcher avec ton bavardage... D'où vient cette merveille, Sandra?

SANDRA

(ATTENDRIE. S'AGENOUILLE À LA TABLE. POSE LE MENTON SUR SES BRAS ET REGARDE AUSSI LA BÊTE)
Je le savais, ma Julie, que ça te ferait plaisir!
(UN TEMPS)
C'est la propriétaire qui me l'a donné.

ELLE REGARDE INTENSÉMENTJULIE.

SANDRA

Elle a dit que ça me porterait bonheur.
Il est né le jour où j'ai évalué sa mai-
son...
(CHANGEANT DE TON POUR POUR-
SUIVRE SA PENSÉE. HEUREUSE)
Quand j'y pense! Au prix demandé!
Pas de marchandage... rien... Tu sais,
il y en a qui réclament les tapis, les
plafonniers, le lave-vaisselle... même
le tisonnier, tiens!/

JULIE

Un chat noir ne porte pas bonheur.

SANDRA

(ATTRISTÉE)
Toutes les bêtes portent bonheur!...
Pourquoi dire des choses tristes un jour
pareil?

JULIE

(TROUBLÉE)
Je ne sais pas... C'est pourtant un bien
beau jour, tu as raison...
......
(TIMIDEMENT. HUMBLEMENT)
Moi aussi, j'ai réussi quelque chose,
Sandra... quelque chose que je te
dois... parce que tu es ma raison de
vivre...
(ELLE POSE LA MAIN SUR UNE PILE
DE BROUILLONS)

58

J'ai écrit le mot « fin » !

SANDRA

(LE VISAGE ILLUMINÉ)
Non ? c'est vrai ?
(EXCITÉE)
Alors, je vais avoir la permission de lire ?

JULIE

(COUP D'ŒIL VERS SA MACHINE À
ÉCRIRE)
Dans une semaine ou deux, oui...
quand j'aurai tout mis au propre.

SANDRA

(SE LÈVE. TOURNE SUR ELLE-MÊME
HEUREUSE.)
Ma première maison ! Ton premier
roman !

JULIE

(BEAUCOUP PLUS CALME)
Et je pense que notre « premier chat »
a soif !... Va lui chercher du lait... et
pour nous deux, quelque chose d'un
peu plus « corsé » ?... pour célébrer !

SANDRA

(APPORTANT SON OFFRE D'ACHAT)
D'abord, regarde mon papier et montre-

59

moi ta dernière page...
(INSISTANTE)
Julie! ta dernière phrase au moins?

JULIE PREND L'OFFRE D'ACHAT ET
TEND UNE PAGE À SANDRA QUI LIT:

SANDRA

« Le ver est dans le fruit, le réveil dans
le rêve
Le bonheur a marché côte à côte avec
moi...»
......
Malhonnête! ce n'est pas de toi!
Je le dirai à Verlaine!

ELLE POSE LA FEUILLE ET S'ÉLOI-
GNE PENDANT QUE JULIE REGARDE
L'OFFRE D'ACHAT.

JULIE

(RIANT ET HAUSSANT LE TON À ME-
SURE QUE SANDRA S'ÉLOIGNE)
Je suis mal tombée! Le seul poème que
tu connais par cœur!...
Rassure-toi, c'est l'exergue!...
Tout le reste est de moi!

SANDRA

(DE LOIN)
Il fallait le dire!
Tu le veux sur glace, ton martini?

60

JULIE

(SE LÈVE. LE CHAT SUR LE CŒUR)
S'il te plaît...
Nous l'appellerons comment, le chat?

SANDRA

(DE LOIN. BRUIT DE GLAÇONS)
J'y ai pensé... J'ai décidé...
Nous l'appellerons « Laurent »... comme
ça, j'oublierai l'autre!

JULIE

Ou bien on ne saura plus de qui on
parle!

SANDRA

Tant mieux!

JULIE DÉPOSE LE CHAT DANS LE
FAUTEUIL OÙ IL EST, ADULTE, AU
PRÉSENT.
ELLE RETOURNE S'ASSEOIR À SA
TABLE POUR FAIRE DE L'ORDRE.
PUIS REGARDE LE CHAT EN MUR-
MURANT:

JULIE

Salut, Laurent!

ELLE SOURIT.

SANDRA (OFF)

Fais du feu, Julie !

NOUS REVENONS AU PRÉSENT PAR
LES YEUX DU CHAT ADULTE QUI SE
RENDORT DANS LE FAUTEUIL.

*   *   *

SCÈNE 5

SALON-BIBLIOTHÈQUE.
JULIE CHANGE LES OBJETS DE PLA-
CE SUR LA TABLE.

N.B. FAIRE SENTIR CELA COMME
UNE HABITUDE . . .
CETTE TABLE EST SON SEUL UNI-
VERS ACCESSIBLE : FAUTE DE POU-
VOIR BOUGER ET S'AFFAIRER DANS
LA PIÈCE, ELLE LE FAIT AVEC SES
MAINS, SUR CETTE TABLE, COMME
SI ELLE ARRANGEAIT UN DÉCOR.

FINALEMENT, ELLE PREND *LES POÈ-
MES SATURNIENS* ET FEUILLETTE
LE LIVRE LORSQUE LA SONNERIE
DU TÉLÉPHONE, TRÈS DISCRÈTE,
SE FAIT ENTENDRE.
ELLE DÉCROCHE.

VOIX DE LAURENT (FILTRE)

Julie ?

JULIE

(VOIX FROIDE. NEUTRE)
Bonsoir, Laurent. Comment vas-tu ?

VOIX

D'humeur massacrante ! J'ai été retenu
cet après-midi . . . Impossible de te téléphoner ! Tu m'as attendu ?

JULIE

Mais non.

VOIX

Ça te contrarierait beaucoup de répondre « oui » de temps en temps ?

JULIE

(GENTILLE. POUR LUI FAIRE PLAISIR)
Bon, si tu veux ! Même que j'ai pleuré
pendant deux heures parce que mon
bon Samaritain m'abandonnait !

VOIX

Ta voix est triste, Julie, quelque chose

ne va pas ? Es-tu au salon ou dans ta chambre ?

JULIE

À ma table... Et ma voix n'est pas triste... J'ai brisé une tasse tout à l'heure et le bruit m'a bouleversée.

VOIX

Le bruit ? Mais ça n'a pas dû faire un bruit bien terrible ?

JULIE

Non, bien sûr... C'est bizarre... les nerfs !...

ELLE PREND UNE CIGARETTE.
N.B. DANS LES SCÈNES AU PRÉSENT, ON LA VOIT LA PLUPART DU TEMPS DE DOS.

VOIX

Tu as pris tes comprimés ?

JULIE

(AGACÉE)
Laurent ! cesse de me traiter comme une malade. Je ne peux pas supporter

le bruit, voilà tout!... Même la sonnerie
du téléphone quelquefois...
Ça résonne comme une sirène...

VOIX

(AFFABLE)
Si on le posait sur un coussin?

JULIE

(AMUSÉE. RIANT)
On pourrait peut-être aussi lui fabriquer
un petit manteau de feutre?

VOIX

Que j'aime t'entendre rire!

ELLE CHERCHE DU FEU POUR LA
CIGARETTE.

JULIE

Moi aussi!

VOIX

Ta mère t'a apporté une autre tasse?

JULIE

Elle est sortie, « madame Françoise »...
Une urgence!

66

VOIX

(INQUIET)
Tu es toute seule ? tu veux que j'aille
te tenir un peu compagnie ?

JULIE

Mais non, Laurent ! Mélie est là, voyons !
Je n'ai qu'à sonner si j'ai besoin de
quelque chose, ou de compagnie . . .
En ce moment, j'aurais seulement besoin
de feu !

VOIX

De feu ?

JULIE

Oui . . . de mon briquet que j'ai oublié
dans ma chambre ! Ça fait une heure
que j'ai envie de fumer . . . Mais c'est
curieux, je m'en passerais facilement
jusqu'à demain, plutôt que d'agiter cette
sonnette/

VOIX

Sonne ! ou j'y vais !

JULIE

Écoute-moi, Laurent . . . Il va falloir qu'on

parle tous les deux ... que tu comprennes ... que tu vives ta vie !... Je n'ai pas encore eu le courage de refuser ta présence, tes fleurs, tes attentions, mais/

VOIX

C'est naturel/

JULIE

Non ! ce n'est pas naturel et tu le sais !...
(MALHEUREUSE)
Laurent, écoute ... je ne veux pas te faire de mal mais ... c'est comme ... si tu voulais réparer ...
Ce qui est arrivé, ce n'est pas ta faute ...
(FERME) Je veux qu'on en parle !

VOIX

(AUTORITAIRE)
Tais-toi et appelle Mélie !

JULIE

(RÉSIGNÉE)
Elle regarde la télé dans sa chambre.

VOIX

Et après ? Dérange-la ! Sonne, je te dis !

JULIE

(SOUMISE)
Bon, si tu veux.

ELLE AGITE LA SONNETTE. DOUCE-
MENT. AVEC PRÉCAUTION.

VOIX

Deux heures, demain, ça te conviendrait
pour la promenade ?

JULIE

(LASSE)
Je ne veux pas te déranger... Mélie
peut très bien/

VOIX

(COMME N'AYANT PAS ENTENDU)
Alors, deux heures ! c'est entendu...
Elle est là ?

JULIE

Je l'entends descendre...
À demain !... Merci !

VOIX

À demain, ma Julie !

ELLE RACCROCHE.
ENTRE MÉLIE. LES BRAS BALLANTS.
UN PEU CONTRARIÉE D'ÊTRE DÉ-
RANGÉE.
GESTES NONCHALANTS.

JULIE

(DOUCE. PRESQUE HUMBLE)
S'il te plaît, Mélie, veux-tu ouvrir la
fenêtre et sortir Laurent.

MÉLIE REGARDE LE FEU... PUIS LA
FENÊTRE EN AYANT L'AIR DE TROU-
VER BIZARRE QU'ON FASSE DU FEU
ET QU'ON OUVRE.

JULIE

Justement! J'ai trop chaud!
Fais ce que je te demande et quand
tu auras une minute, reviens ramasser
ça...

JULIE REGARDE LES DÉBRIS.
MÉLIE FAIT DE MÊME, PUIS REGAR-
DE JULIE AVEC UNE LUEUR DE PI-
TIÉ DANS LES YEUX.

MÉLIE

Donnez-moi une feuille, je vais nettoyer
tout de suite.

70

JULIE

Tu regardais un film ?

MÉLIE

Il est fini.

ELLE LUI DONNE UNE FEUILLE DE PAPIER ET MÉLIE Y DÉPOSE TRAN- QUILLEMENT LES MORCEAUX DE LA TASSE.

JULIE

C'était bien ?

MÉLIE

(MOUE)
Comme ça !

JULIE

L'histoire, c'était quoi ?

MÉLIE

L'histoire d'une serveuse de restaurant. Elle a sa vieille mère malade à la maison et puis un soir, en rentrant, elle la trouve assassinée.

JULIE

(À LA FOIS INTÉRESSÉE ET AMU-
SÉE)
Ah mon Dieu ! elle était riche ? et sa
fille travaillait dans un restaurant ?

MÉLIE

(RIANT)
Mais non, c'est pas ça du tout !
Finalement, la vieille n'a pas été assas-
sinée . . . elle a fait semblant !

JULIE

Semblant ?

MÉLIE

Semblant, oui . . .
(ELLE MET LES DÉBRIS DANS SON
TABLIER ET LE REFERME AVEC SON
POING COMME UN BALUCHON.)
pour embêter la fille ! . . .
Et pour l'embêter, ça, on peut dire qu'elle
a réussi ! . . . Comme une vraie mère ! . . .
Oh ! pardon je veux dire : comme les
mères . . . en général ! . . .

JULIE

(PETIT AIR MOQUEUR)
De quelle façon ?

72

MÉLIE

Elle ne voulait pas qu'elle se marie !

ELLE EST EMBARRASSÉE AVEC SON
TABLIER ET, CHERCHANT DES YEUX
OÙ JETER LES DÉBRIS, ELLE APER-
ÇOIT LE CHAT DANS LE FAUTEUIL.

MÉLIE

Le chat, je le sors par la fenêtre ? ou
par la porte ? . . . Moi, je trouve qu'il est
bien où il est . . . Un chat, de toute façon,
c'est comme une fille . . . quand ça veut
sortir . . . ça s'arrange, ça se faufile . . .

JULIE

(QUE MÉLIE AMUSE ET QUI VOU-
DRAIT VISIBLEMENT PROLONGER
CETTE DISTRACTION)
Mais toi, il me semble que tu n'as pas
envie de te « faufiler » bien souvent ?
Veux-tu prendre congé demain après-
midi ? Laurent va venir . . .
(ELLE DÉSIGNE LA CORBEILLE TOUT
PRÈS D'ELLE, À SES PIEDS)
Mets ça ici, dans la corbeille.

MÉLIE VIENT PRÈS DE JULIE ET
S'AGENOUILLE POUR VIDER LE CON-
TENU DE SON TABLIER DANS LA
CORBEILLE.
PENDANT QU'ELLE EST PENCHÉE,

JULIE ESQUISSE DÉLICATEMENT
LE GESTE TRÈS DOUX DE LUI PAS-
SER LA MAIN DANS LES CHEVEUX,
MAIS ELLE NE LES TOUCHE PAS.
N.B. IL FAUT SENTIR QUE CETTE
CHEVELURE LUI RAPPELLE CELLE
DE SANDRA.

JULIE

As-tu un amoureux, Mélie ?

MÉLIE RELÈVE LA TÊTE.

MÉLIE

J'en ai eu un l'été dernier.

JULIE

Chez toi ? à la campagne ?

MÉLIE

Oui . . .

JULIE

Tu t'ennuies ? Vous vous écrivez ?

MÉLIE

(ÉTONNÉE)
Non. Pourquoi ?

JULIE

(COMME RENONÇANT À CETTE CON-
VERSATION)
Va ouvrir la fenêtre.

MÉLIE OBÉIT.
OUVRE LES RIDEAUX, PUIS LES VO-
LETS.
L'ÉCLAIRAGE DU DEHORS EST BLEU-
TÉ.
DOUX CRÉPUSCULE D'AUTOMNE.
EN PASSANT PRÈS DU FAUTEUIL,
MÉLIE A PRIS LE CHAT SOUS SON
BRAS ET LE DÉPOSE SUR L'ALLÈGE
POUR QU'IL SORTE.

MÉLIE

Pourquoi s'appelle-t-il Laurent, ce chat ?
Ce n'est pas un nom pour un chat ! Je
ne sais jamais de qui vous parlez...
Surtout, ce n'est pas très aimable pour
votre ami qui est si bon pour vous !

MÉLIE REVIENT VERS LA TABLE ET
PREND LA CAFETIÈRE.

JULIE

Quel nom lui donnerais-tu ?

MÉLIE

Voulez-vous un autre café ?...

75

Je n'aurai jamais de chat noir !
Et s'il m'en tombait un sur les bras, je
l'appellerais Satan !

JULIE

Tu es superstitieuse ?

MÉLIE

(GÊNÉE)
C'est défendu ?

JULIE

Sûrement pas ! mais ça rend malheureux
pour rien.

MÉLIE RECULE POUR SORTIR ET
MONTRE ENCORE LA CAFETIÈRE.

MÉLIE

J'en fais d'autre ?

JULIE

Non, merci . . . Quand tu auras le temps,
tu m'apporteras mon briquet, veux-tu ?
je l'ai laissé sur ma table de chevet . . .
Penses-y pour demain ?

MÉLIE

C'est tout réfléchi... j'ai pas de place
où aller!

JULIE

Tu pourrais aller au cinéma!

MÉLIE

(HAUSSANT LES ÉPAULES ET S'É-
LOIGNANT)
Je l'ai en haut, mon ciné!

JULIE LA RAPPELLE ET MÉLIE SE
RETOURNE.

JULIE

Mélie?... comment cela s'est-il terminé
pour la vieille?

MÉLIE

(RAVIE DE RACONTER)
Sa fille lui en a tellement voulu qu'un
soir elle n'est pas rentrée et la vieille
est morte pour de vrai... de sa belle
mort!...
Et ça finit que la fille doit être heureuse
parce qu'elle se promène avec le patron
du restaurant, dans un beau grand
jardin...

ELLE SORT.

TRANSITION :
LA CAMÉRA QUITTE MÉLIE ET VA CADRER LA FENÊTRE PAR LE REGARD DE JULIE.
UNE BRISE LÉGÈRE AGITE LES PANS DE RIDEAUX.
PEU À PEU, ON PERÇOIT LE BRUISSEMENT DES FEUILLAGES ET LA LUMIÈRE S'INTENSIFIE JUSQU'À DEVENIR SOLEIL D'UN BEL APRÈS-MIDI D'AUTOMNE.
PUIS LA CAMÉRA SE RAPPROCHE ET LE CADRAGE DE LA FENÊTRE DISPARAÎT.
LA SCÈNE SUIVANTE SE PASSE AU JARDIN.

*   *   *

SCÈNE 6

JARDIN ENTOURANT LA MAISON.
TROIS ANS AUPARAVANT.
ON APERÇOIT, AU BOUT D'UNE AL-
LÉE BORDÉE D'ARBRES, LES SIL-
HOUETTES DES DEUX JEUNES FIL-
LES MARCHANT CÔTE À CÔTE, ET
ON COMMENCE À ENTENDRE LEUR
CONVERSATION, D'ABORD TRÈS
LOINTAINE...

SANDRA

Si tu épouses ce Laurent de malheur,
je me tuerai !

JULIE

Ne fais pas l'enfant... Tu sais très bien
que ce n'est pas mon intention.

SANDRA

(EN COLÈRE)
Tout ce que je sais, c'est que ta mère
est une effrayante entremetteuse !

JULIE

Sandra ! tu devrais avoir honte ! tu parles
d'une femme qui t'a prise au berceau
pour te remettre au monde !

SANDRA

Je parle d'une femme égoïste qui a
voulu te donner une sœur sans se donner la peine de la faire elle-même !...
qui nous a confiées à des gouvernan-
tes... Pendant des années !... Puis, à
des bonnes sœurs... Dans des cou-
vents !... Et qui voudrait maintenant
nous séparer pour nous confier à des
hommes !

JULIE

(ESSAYANT DE LA CALMER)
Il faut la comprendre, Sandra.
Tu n'es pas juste. Nous avons été éle-
vées comme des princesses !... si heureuses !... Te demandes-tu quelquefois
ce que tu serais devenue sans elle ?

SANDRA

(BUTÉE)
Je ne sais pas... et ça ne m'intéresse

pas de le savoir ! Tu peux bien jongler avec des verbes au conditionnel si ça t'amuse, mais moi, ça ne m'amuse pas du tout !... La vérité, c'est que j'ai été heureuse à son insu, sans qu'elle y soit pour rien, et le bonheur que j'ai construit avec toi, c'est à son insu encore que je le sauverai, sans qu'elle ait rien à dire et sans qu'elle lève le petit doigt !

JULIE

(RAISONNABLE. CALME)
Avec quoi ?

SANDRA

(APEURÉE)
Tu vois bien que tu y songes à ce mariage d'argent ? Avoue ?

JULIE

Mais non, calme-toi... je cherche une solution, c'est tout...

ELLE REGARDE AUTOUR D'ELLE. MÉLANCOLIQUE.

JULIE

Ce beau jardin, combien de temps encore pourrons-nous le garder ?...
Je n'ai pas les moyens, Sandra... et

ce qui est pire : je ne les aurai jamais !
... Je ne sais rien faire d'autre qu'écrire ... je n'aime rien d'autre ...

ELLE TOURNE ET RETOURNE DANS
SES MAINS UN LIVRE QU'ELLE A
APPORTÉ EN PROMENADE : *HORACE*
DE PIERRE GRIMAL. (COLLECTION
« LES ÉCRIVAINS DE TOUJOURS » —
SEUIL)

JULIE

(ENCHAÎNANT)
Remarque, je serais prête à n'importe
quel sacrifice ... à vivre dans la misère
s'il le fallait, mais c'est à toi que je pense ... Tu ne pourrais pas, ma belle enfant gâtée !

SANDRA

Qui parle de misère ? et qui te demande
de gagner notre vie ? ... Je la gagnerai,
moi ...
(ELLE SE CALME. S'ATTENDRIT)
Et tu seras l'écrivain que tu veux devenir ... que tu es déjà ... que j'aime !

ELLES SE RAPPROCHENT DE LA CA-
MÉRA.
ON LES VOIT PLUS DISTINCTEMENT,
MAIS PAS ENCORE DE TROP PRÈS.
LE PAYSAGE DEMEURE TRÈS IM-
PORTANT.

EN DISANT « QUE J'AIME », SANDRA
A UN TRÈS JOLI ÉLAN DE TENDRES-
SE VERS JULIE. UN GESTE PRES-
QUE ENFANTIN. UNE SORTE DE PI-
ROUETTE.

JULIE

(ÉMUE)
Et comment la gagneras-tu, notre vie ?
y compris le domaine ?

SANDRA

(MYSTÉRIEUSE)
C'est mon affaire !

ELLE QUITTE L'ALLÉE, JOUANT À
DISPARAÎTRE ET REPARAÎTRE ENTRE
LES ARBRES TOUT EN OBSERVANT
JULIE QUI S'ASSOIT SUR UN BANC,
OU UNE PIERRE, ET OUVRE SON
LIVRE TRANQUILLEMENT.
ON SENT QUE C'EST UN MOMENT
TRÈS PRÉCIEUX POUR ELLE, UNE
CONVERSATION QU'ELLE NE PREND
PAS TOUT À FAIT AU SÉRIEUX, MAIS
QUI L'IMPRESSIONNE, QUI L'ATTEN-
DRIT, QUI LUI FAIT APPRÉCIER EN-
CORE DAVANTAGE LE CARACTÈRE
OPTIMISTE DE SANDRA.
LEVANT LES YEUX, ELLE L'APER-
ÇOIT, ADOSSÉE À UN ARBRE ET LUI
SOURIANT DE LOIN D'UN AIR EN-
TENDU.
IMAGE FIXE DE SANDRA PENDANT
UN MOMENT.

PUIS, TANDIS QU'ELLE REVIENT VERS
JULIE, CELLE-CI COMMENCE À LIRE
À MI-VOIX (PAGE 124 DU LIVRE CITÉ).

JULIE

« . . . Ni les cyprès ni les ormes antiques
ne bougent plus.
Ce que sera demain, évite de te le demander et le jour, quel qu'il soit, que te
donnera le Sort, fais-en ton profit; ne
méprise pas les douces amours, enfant,
ni les danses non plus, tant que ton âge
vert est loin de la blancheur . . .
C'est maintenant qu'il te faut retrouver
le rire charmant de ton amie, qui la trahit
du coin où elle se cache . . . »

ELLE RELÈVE LA TÊTE.
SANDRA EST PRÈS D'ELLE, JOUANT
AVEC UNE BRANCHE OU DES FEUIL-
LES MORTES.

SANDRA

Des jardins comme celui-ci, des maisons
aussi belles que la nôtre, j'en vendrai
des tonnes ! . . .

ELLE S'ASSOIT PRÈS DE JULIE.

SANDRA

Ferme ce livre (GESTE : ELLE DÉPOSE
LE LIVRE PAR TERRE)

et écoute-moi...
(FERME. AUTORITAIRE. ENTHOU-
SIASTE)
Avec Nadine, hier soir !... Tu sais,
Nadine/
(ELLE S'APERÇOIT QUE JULIE A LES
LARMES AUX YEUX)
Voyons, Julie, qu'est-ce qui te prend?

TENDREMENT, ELLE LUI APPLIQUE
UNE FEUILLE SUR LA JOUE COMME
SI C'ÉTAIT UN MOUCHOIR.
JULIE SOURIT ET RENIFLE.

SANDRA

(FERME)
Bon ! « Marie-Madeleine » ! Cesse de
pleurer sur le fief de notre coureur de
père qui est mort sur la paille pour avoir
payé trop cher les draps de satin dans
les lits des filles/

JULIE, MALHEUREUSE, SE LÈVE PRÉ-
CIPITAMMENT POUR S'ÉLOIGNER,
MAIS SANDRA, PRESTEMENT, LA
RETIENT PAR LA MAIN.

SANDRA

Ce que tu es agaçante, Julie !...
Je sais... tu ne veux pas que je parle
de ça !... D'accord, le passé, c'est le
passé !... Les hommes malheureux
trompent leurs femmes !... Les autres

aussi d'ailleurs !... Ce Laurent, il t'a
harcelée bien avant d'être veuf ! Tu t'es
abstenue bien souvent de me le dire ...
avec raison : ça crevait les yeux !...
Allons ! (ELLE LA FORCE À SE RAS-
SEOIR)
Julie, essaie de voir les choses en face
pour une fois, je t'en prie !
Ces arbres ... cette lumière ... c'est
encore à toi !

JULIE

Si peu ...
Nous ne pouvons plus ... C'est un jardin exorbitant !... Fou !... Comme
nous !... comme notre enfance !

L'ESPACE DE QUELQUES INSTANTS,
PAR LES YEUX DE JULIE, ON VOIT
DEUX PETITES FILLES JOUER À
CACHE-CACHE PARMI LES ARBRES
EN S'APPELANT, JOYEUSES ...
UN FULGURANT RAPPEL DE L'EN-
FANCE.

Julie !...
Sandra !...

SANDRA

Qu'est-ce que tu regardes ?
(ELLE LUI PASSE LA MAIN DEVANT
LES YEUX)
Hou ! Hou !
(JULIE REVIENT À LA RÉALITÉ)

SANDRA

Laisse-moi t'expliquer . . .
Nadine m'a mise au courant de tout
hier soir . . .

JULIE

Je ne veux pas que tu fasses ce métier-
là !

SANDRA

Je ne vais quand même pas me tourner
les pouces toute ma vie ? Et quel métier
veux-tu donc que je fasse avec mes
belles manières et mon latin ? Julie,
ma décision est prise et, cette fois, tu
n'y peux rien ; je ne t'écouterai pas ! Je
commence mes études la semaine prochaine. De vraies études ! Pra-ti-ques !
Qui vont me rapporter du sale ar-gent !
pour manger trois fois par jour, nous
habiller, sortir ! . . . voyager . . . Pour
vivre ! ici ! toutes seules, à notre guise
et sans comptes à rendre à personne !

JULIE SOURIT AVEC CONDESCEN-
DANCE ET, DE GUERRE LASSE, COM-
MENCE À S'INTÉRESSER AU PROJET
DE SANDRA.

JULIE

Alors, comment cela se passe, pour
Nadine ?

(RAVIE)
Je te le dis : elle fait merveille ! et puis,
tu sais, ce n'est pas sorcier !... ni ennuyeux !... Ce n'est pas du « neuf à
cinq », tu comprends ?
(ELLE S'ENTHOUSIASME)
Il y a de l'imprévu ! Toujours des visages
nouveaux ...
(ELLE SE LÈVE)
Viens à la maison, j'ai de la documenta-
tion à te montrer ...

SANDRA PREND LES DEUX MAINS
DE JULIE POUR L'AIDER À SE RELE-
VER.
UN MOMENT ELLES RESTENT AINSI
DEBOUT FACE À FACE EN SE RE-
GARDANT DANS LES YEUX COMME
ELLES FERONT À LA FIN, SUR LA
PLAGE.
PUIS ELLES S'ÉLOIGNENT COMME
ELLES SONT VENUES SUR DES
PHRASES « DÉCROISSANTES » :

« Tu es certaine ? »
« Oui, je t'assure ... quatre maisons en
une semaine ! »
« Et la commission ? »
« Tout dépend ... tu vois ... »

ELLES DISPARAISSENT DANS LES
FEUILLAGES EN SE TENANT PAR LA
TAILLE.
AU PREMIER PLAN, IL Y A DANS

L'HERBE LE LIVRE QU'ELLES OU-
BLIENT.

*   *   *

SCÈNE 7

SALON-BIBLIOTHÈQUE.
JULIE S'EST ASSOUPIE. LES YEUX
CLOS. LA TÊTE INCLINÉE, APPUYÉE
SUR UNE « OREILLE » DU FAUTEUIL.
MÉLIE ENTRE EN VITESSE ET SE
DIRIGE VERS LA FENÊTRE. UNE SER-
VIETTE SUR LES ÉPAULES. LES CHE-
VEUX MOUILLÉS.
LE CHAT SE FAUFILE À L'INTÉRIEUR.
IL FAIT NUIT TOUT À FAIT.
ON ENTEND UN LOINTAIN ROULE-
MENT DE TONNERRE.
MÉLIE REFERME LES VOLETS. FAIT
COULISSER LES TENTURES SUR
LES RIDEAUX EN TÂCHANT DE NE
PAS FAIRE TROP DE BRUIT, MAIS
JULIE SURSAUTE :

JULIE

Sandra ! c'est toi ?

90

MÉLIE

(SE RETOURNANT. PERPLEXE)
Je vous ai fait peur !... C'est à cause
des anneaux sur la tringle ... Pas moyen
de faire autrement/

JULIE

Qu'y a-t-il, Mélie ? Pourquoi fermes-tu ?

MÉLIE

Il y a que c'est un orage en règle qui
se prépare !

ELLE VIENT PRÈS DU FEU QU'ELLE
TISONNE.
AJOUTE UNE AUTRE BÛCHE.
SE RELÈVE EN SE MASSANT LES
BRAS.

MÉLIE

On gèle ici ! Voulez-vous votre châle ?

SANS ATTENDRE LA RÉPONSE, ELLE
PREND LE CHÂLE ET VIENT LE DIS-
POSER SUR LES ÉPAULES DE JULIE.
MATERNELLE.

MÉLIE

Vous vous êtes endormie ... Ça m'arrive

à moi aussi quand je reste assise trop longtemps dans mon fauteuil ...
(GÊNÉE DE SA GAFFE)
Votre briquet est là, à côté des cigarettes.

JULIE S'EMPRESSE D'ALLUMER.
ASPIRE PROFONDÉMENT LA FUMÉE.
MÉLIE LA CONTEMPLE UN MOMENT
AVEC GRANDE DOUCEUR.

MÉLIE

Ça ne me regarde pas ... mais il me semble que vous vous fatiguez beaucoup avec toutes ces paperasses ... Moi, en tout cas, ça m'épuise moins de passer l'aspirateur dans toute la maison que d'écrire une lettre !

ELLE REPLACE QUELQUE CHOSE SUR UNE TABLE ET ESSUIE LA POUSSIÈRE AVEC SA MAIN.

MÉLIE

Chacun son métier !

JULIE

(ENTRE DEUX BOUFFÉES)
Eh oui !

MÉLIE

Rien n'empêche ! on aurait dû vous cou-
cher avant que madame Françoise s'en
aille . . . Dieu sait à quelle heure elle va
rentrer encore ! . . . Voulez-vous qu'on
essaie toutes les deux ? J'ai déjà trans-
porté bien plus lourd que vous !
(ELLE VA SORTIR)
Je vais chercher la chaise . . .

JULIE

(TRÈS DOUCE. COMME DE CONNI-
VENCE AVEC ELLE)
On « essaiera » une autre fois, Mélie !
Va te sécher . . . tu risques de prendre
froid.

MÉLIE VIENT VERS LA TABLE ET
APPROCHE LA PETITE SONNETTE
DE LA MAIN DE JULIE.

MÉLIE

(AVEC BEAUCOUP D'HÉSITATION)
Mademoiselle Julie ? . . .
Je voudrais savoir . . .
(OSANT)
Qui est Sandra ?

JULIE DÉPOSE TRANQUILLEMENT LA
CIGARETTE DANS LE CENDRIER ET
PREND SON STYLO.

JULIE

(ESSAYANT DE GARDER UN TON
TRÈS CALME)
C'était ma sœur . . .
Elle avait la même chevelure que toi !
Va maintenant . . . Je veux travailler.

MÉLIE SORT.
JULIE POSE LE STYLO.
ON ENTEND UN LOINTAIN COUP DE
TONNERRE. UN PEU PLUS FORT QUE
LE PREMIER.
JULIE REGARDE LA LAMPE ET L'É-
TEINT.
TRANSITION VERS LA SCÈNE SUI-
VANTE PAR L'IMAGE SUPERPOSÉE
D'UNE AUTRE LAMPE . . . CELLE DE
LAURENT, SUR SON BUREAU. ÉTEIN-
TE AUSSI.

*   *   *

SCÈNE 8

BUREAU DE LAURENT. UN AN ET DEMI AUPARAVANT.
JULIE, ASSISE DANS UN FAUTEUIL PRÈS DU BUREAU, FIXE LA LAMPE.
JOUANT AVEC LE BOUTON PLACÉ SUR LA BASE, ELLE L'ALLUME ET L'ÉTEINT À PLUSIEURS REPRISES. L'AIR ENNUYÉ.
ON SENT QUE LA CONVERSATION DURE DEPUIS UN BON MOMENT.
LAURENT EST ASSIS DE L'AUTRE CÔTÉ DE LA TABLE. IL A BU, MAIS N'EST PAS IVRE.
NERVEUX, TOUT EN PARLANT, IL VA SE LEVER, CONTOURNER LE MEUBLE ET VENIR S'ASSEOIR DESSUS, PRÈS DE JULIE.

LAURENT

(ENTRE LES DENTS. HARGNEUX)
... « Sandra ! Sandra ! » ... Tu n'as que

ce nom-là dans la bouche ! Mais, bon
Dieu ! qui est Sandra dans ta vie ?
Il va quand même falloir que vous vous
quittiez un jour ?

JULIE

(SEREINE)
As-tu autre chose à me dire, Laurent ?
Il me semble que je suis venue pour
t'aider . . . parce que ta secrétaire est
absente ?
Donne-la-moi, cette lettre si importan-
te . . .
(RIANT) ignare ! je vais te la fignoler !

LAURENT

Il n'y a pas de lettre !

JULIE

Figure-toi que je m'en doute depuis un
bon moment !
(ELLE SE LÈVE)

DÉSINVOLTE. ELLE AJUSTE SON SAC
EN BANDOULIÈRE ET VA VERS LA
PORTE.

JULIE

À un de ces jours ! Salut !

AU MOMENT D'OUVRIR LA PORTE,
ELLE S'APERÇOIT QU'ELLE EST FER-
MÉE À CLEF.

JULIE

(AHURIE)
Ce n'est pas possible ?
Dis-moi que je rêve ?
(IMPÉRATIVE)
Ouvre cette porte, Laurent !

LAURENT VA SE RASSEOIR À SA
PLACE EN TITUBANT TRÈS LÉGÈRE-
MENT.
JULIE REVIENT. APPUIE SES MAINS
SUR LE BUREAU POUR PARLER.

JULIE

Ça t'arrive souvent de séquestrer les
femmes ? . . . C'est une jolie distraction !
à condition que tu les violes, bien entendu ! Autrement, c'est ridicule ! . . . mais . . .
tu es voyeur, peut-être ? c'est ça ? . . .
C'est ça ! : tu leur demandes de se
déshabiller !
Eh bien, avant ! . . . j'espère que tu offres
un verre ?
(IRONIQUE)
Étant donné que tu en as déjà pris un
ou deux . . . ce serait galant !
(FERME)
Merde, Laurent ! Donne-moi la clef de
cette porte, j'ai rendez-vous/

LAURENT

Oui, j'ai bu ! Il y a peut-être dans l'alcool
des paroles que tu pourrais te donner
la peine d'entendre ... Assieds-toi,
Julie !

JULIE

(ELLE RESTERA DEBOUT. PENCHÉE
VERS LUI)
Quelles paroles ? tu en as trouvé de
nouvelles pour me dire que tu m'aimes ? ...
Cette fois, tu vas me demander en mariage ?

LAURENT

Oui. (IL SORT UN PETIT ÉCRIN DU
TIROIR DE SA TABLE)

JULIE

(INTERLOQUÉE)
Laurent ! crois-tu que j'ai fait la coquette
avec toi ? que je voulais en arriver là ?
(ELLE REGARDE L'ÉCRIN) Tu penses
que je veux me faire épouser ? Tu le
penses vraiment ?

LAURENT

J'ai attendu le temps nécessaire ...
Depuis la mort de Thérèse ... Tu le

sais, Julie, que je n'ai pas été heureux . . .
que toutes ces années avec une femme
malade/

JULIE

C'est toi qui l'as rendue malade !

LAURENT

Comment ?

JULIE

Oui ! à force de la tromper !

LAURENT

Tu divagues, ou quoi ?

JULIE

En pensée, avec moi . . . tu l'as trompée
des milliers de fois . . .
Thérèse le savait, j'en suis sûre !
Tout le monde le savait !
Bon ! ça suffit ! Tout cela ne me regarde
même pas !
Je veux m'en aller . . . Sandra m'attend/

LAURENT

(PERSIFLEUR)
« Sandra m'attend ! » . . . Sais-tu ce que

tu es, Julie ?

JULIE

Oui, je le sais ! Mais dis-le, « le mot »,
si ça te fait plaisir !... Les hommes
l'adorent, ce mot-là ! ils s'en servent à
tout coup quand on leur résiste !
(HAUSSANT LE TON. EXCÉDÉE)
Dis-le !... mais dis-le donc !

LAURENT SE LÈVE ET, PAR-DESSUS
LA TABLE, IL LA GIFLE ASSEZ VIGOU-
REUSEMENT.
ILS SONT AUSSI ABASOURDIS L'UN
QUE L'AUTRE.
UN TEMPS.
ILS SE REGARDENT. STUPÉFAITS.
LAURENT SORT UNE CLEF DE SA
POCHE. VA VERS LA PORTE ET
L'OUVRE.
JULIE SORT EN DISANT :

JULIE

Je ne veux plus te revoir, Laurent.
Jamais !

*   *   *

SCÈNE 9

DANS LA RUE. SUITE DE SCÈNE 8.
JULIE SORT DE L'IMMEUBLE OÙ EST
SITUÉ LE BUREAU DE LAURENT.
SON VISAGE DOIT TRADUIRE EN-
CORE UNE GRANDE CONTRARIÉTÉ,
MÊLÉE D'ÉTONNEMENT.
APERCEVANT SON IMAGE DANS LE
REFLET D'UNE VITRINE, ELLE S'AR-
RÊTE UN MOMENT. SE REGARDE.
TOUCHE LA JOUE QUI A REÇU LA
GIFLE.
PUIS SON VISAGE S'ÉCLAIRE (CET-
TE GIFLE L'A LIBÉRÉE) ELLE SOURIT
ET, D'UN PAS PLUS RÉSOLU, SE DI-
RIGE VERS LE BAR, NON LOIN, OÙ
ELLE A RENDEZ-VOUS AVEC SAN-
DRA.
AU MOMENT DE TRAVERSER LA
RUE, ELLE APERÇOIT SANDRA DE
L'AUTRE CÔTÉ QUI COURT VERS LA
PORTE DE L'ÉDIFICE. CHEVEUX AU
VENT. GROS CARTABLE SOUS LE
BRAS. ÉNORME FOURRE-TOUT EN

BANDOULIÈRE... « ENCOMBRÉE »...
JULIE S'ARRÊTE. RECULE UN PEU.
S'ADOSSE À UN MUR ET, TRANQUIL-
LE, L'OBSERVE...
VISAGE ATTENDRI. AMOUREUX.
PUIS, PAR SON REGARD : CAMÉRA
SUR UNE PETITE COLLISION ENTRE
SANDRA ET UN ENFANT QUI COURT
EN SENS INVERSE.
LE CARTABLE TOMBE PAR TERRE.
DES PAPIERS S'EN ÉCHAPPENT.
SANDRA S'ACCROUPIT POUR LES
RAMASSER. FURIEUSE.
FAISANT BEAUCOUP DE GESTES.
ON VOIT QU'ELLE SERMONNE L'EN-
FANT QUI S'EFFORCE DE L'AIDER,
PITEUX ET MALADROIT.
DES BADAUDS S'AMUSENT À RE-
GARDER.
CETTE SCÈNE DURE LE TEMPS DU
MONOLOGUE INTÉRIEUR DE JULIE
QU'ON NE VOIT PLUS :

JULIE (OFF)

Sandra des violences...
Sandra qui exploses à la moindre étin-
celle...
Combien de temps me faudra-t-il pour
capturer chacun de tes visages... et
chaque instant de notre vie ?... à partir
de la mer étale, quand tu t'endormais
tranquillement dans mes bras, jusqu'aux
réveils rouges et furieux comme des
volcans, lorsque nous allions contre ton
gré, le monde et moi...
Sandra des colères !
donne-moi les mots pour écrire ton histoire et la mienne...

SANDRA, AYANT RAMASSÉ SES AF-
FAIRES, S'ENGOUFFRE À L'INTÉ-
RIEUR.
JULIE LA SUIT À DISTANCE.

*   *   *

SCÈNE 10

BAR. SUITE DE SCÈNE 9.
JULIE ARRIVE DERRIÈRE LA TABLE
OÙ SANDRA EST DÉJÀ INSTALLÉE,
EN TRAIN DE METTRE DE L'ORDRE
DANS SON CARTABLE.

JULIE

(JOYEUSE. COLLANT SA JOUE À LA
SIENNE)
J'espère que tu n'as rien perdu au
moins ?

SANDRA

(SURPRISE)
Comment ça ?

JULIE

(CHUCHOTANT À SON OREILLE)
Je t'ai vue ... avec le petit garçon ...

SANDRA

Et tu n'es pas venue m'aider ?

ELLE REFERME SON CARTABLE ET
LE DÉPOSE PAR TERRE PENDANT
QUE JULIE S'ATTABLE EN FACE
D'ELLE ET DÉPLACE LE LAMPION
POUR MIEUX LA VOIR.

JULIE

Non ... j'étais trop occupée ...
(LES MAINS AUTOUR DE LA BOUCHE.
MURMURANT)
... à te regarder ! ...
(VOIX NORMALE)
Entre nous, le gamin, tu aurais pu le
ménager un peu ? il ne l'avait pas fait
exprès !

SANDRA

Un sale petit voyou ! ... De la graine de
brute !

À UNE TABLE VOISINE, DEUX BU-
VEURS COMMENCENT À S'INTÉRES-
SER VISIBLEMENT AUX DEUX JEU-

NES FILLES. ILS TENDENT L'OREILLE
INDISCRÈTEMENT ET SE TRÉMOUS-
SENT EN SE REGARDANT D'UN AIR
DE CONNIVENCE.

JULIE

(RIANT)
Mon Dieu! que tu as l'air maussade!
Tu as le front tout plissé!

SANDRA

Je voudrais bien te voir à ma place!
Deux heures chez le notaire! Un incom-
pétent qui s'embrouillait dans l'ajuste-
ment des taxes! et l'acheteur qui l'en-
gueulait comme du poisson pourri!...
Et quatorze néons à plein pouvoir au
plafond!... J'ai un mal de tête épouvantable!
(GESTE À L'APPUI)

LE BARMAN APPROCHE.

JULIE

Détends-toi... Tu vas prendre un bon
verre... Ça ira mieux après!

BARMAN

Bonsoir, les belles petites filles!

106

SANDRA TOURNE LA TÊTE VERS LE
MUR. AGACÉE.

JULIE

(AU BARMAN)
Deux martinis sur glace, s'il vous plaît.

BARMAN

Vous avez vos cartes d'identité ?

SANDRA

(EN SOUPIRANT. BOUGONNE)
Ah ! ça va . . . la vieille plaisanterie !

LE BARMAN REGARDE JULIE. UN
PEU AGRESSIF.

JULIE

Ne faites pas attention ! Elle a mangé du
lion à midi !

BARMAN

Et vous, de l'agneau ? Heureusement !
(ILS RIENT. SANDRA BOUDE)

LE BARMAN S'ÉLOIGNE.
L'UN DES DEUX BUVEURS L'ARRÊTE

ET LUI MURMURE QUELQUE CHOSE
EN DÉSIGNANT LA TABLE DES DEUX
FILLES.

JULIE

(UN PEU FÂCHÉE)
Tâche de te calmer, Sandra !. . .
Il a voulu être gentil, c'est tout !
Ce n'est pas une raison parce que tu
es fatiguée/

SANDRA

(BOURRUE)
Toi, ça marche ?

SANS RÉPONDRE TOUT DE SUITE,
JULIE RETIRE SON PAQUET DE CI-
GARETTES DE SON SAC ET L'OFFRE
À SANDRA QUI LE REPOUSSE.

SANDRA

Non . . . plus tard.

JULIE PREND SON TEMPS POUR
ALLUMER SA CIGARETTE.

SANDRA

Complètement idiot, le prétexte !
Qu'est-ce qu'il te voulait ?

JULIE

Toujours la même chose, mais en pire :
(ELLE FAIT ROULER AUTOUR DE SON
ANNULAIRE GAUCHE UNE ALLIANCE
IMAGINAIRE)

SANDRA

(POUFFE DE RIRE)
Le mariage ?

JULIE

Eh oui !. . . et sérieusement ! Pas seulement par allusions comme d'habitude !
Sérieusement !

SANDRA

(INQUIÈTE)
Julie ! Qu'est-ce qui s'est passé ?
Tu m'avais promis de ne plus le voir !

À LA TABLE VOISINE, LES DEUX BU-
VEURS ESSAIENT D'ATTIRER L'AT-
TENTION EN DÉPLAÇANT LEURS
CHAISES (OU AUTRE GESTE, PAR
EXEMPLE : EN OFFRANT UN CEN-
DRIER À JULIE QUI MONTRE D'UN
SIGNE QU'ELLE EN A DÉJÀ UN)

SANDRA

(HAUSSANT LE TON, MAIS SANS LES

REGARDER)
Bon ! Ça commence ! . . .
C'est quand même curieux qu'on ne puisse pas avoir la paix cinq minutes dans un bar !

LES DEUX HOMMES FONT MINE DE NE PAS ENTENDRE ET SE REMET-TENT À BOIRE.

Sandra

(ENCHAÎNANT. TENACE)
Tous pareils ! Incapables de voir deux femmes ensemble sans les déranger ! . . .
Je te jure : il y aurait du boulot ici pour les féministes si elles n'étaient pas toutes en Afrique, en train de protéger les petites négresses contre les couteaux de cuisine !

Julie

(AMUSÉE MALGRÉ ELLE)
Tu avoueras que la tâche est plus urgente ! . . . Nous . . . on se défend assez bien !
(UN DOIGT SUR LA BOUCHE EN RE-GARDANT LE BARMAN QUI REVIENT)
Maintenant, tais-toi !
(AU BARMAN)
Merci. Vous apporterez l'addition quand vous repasserez ?

ELLES BOIRONT LEUR APÉRO TOUT EN PARLANT.

SANDRA

Alors ?

JULIE

Alors quoi ?

SANDRA

Tu as répondu . . . quoi ?

JULIE

Mais rien, voyons . . . j'ai pris mon sac
et je suis sortie !

SANDRA

Et ça va durer encore longtemps avant
qu'il regarde ailleurs ?

JULIE

(ÉNIGMATIQUE)
Je ne crois pas . . .

SANDRA

(IMPATIENTE)
Tu ne me dis pas tout, Julie !
Qu'est-ce qu'il t'a fait ?

JULIE

Fait ? . . . (RIANT) Pas ce que tu penses

111

en tout cas!

SANDRA

(AFFOLÉE)
Quoi?

JULIE

Mais... ma foi! on dirait que tu as peur
de lui?

SANDRA

Oui! j'en ai peur, de Laurent Beaudoin!
C'est un fou!

JULIE

(BADINANT)
En effet... j'ai cru remarquer, à certains
petits indices... que la chose n'est
peut-être pas exclue... dans un avenir
rapproché!... Mais, pour l'instant, rassure-toi, je n'ai eu à en souffrir que très
légèrement/

SANDRA

Tu joues à quoi? Parle clairement à la
fin!

JULIE

Je joue à te détendre...

Bois... Fume...
(CIGARETTE QUE SANDRA ACCEPTE
CETTE FOIS)

LE BARMAN PASSE. JULIE L'ARRÊTE.

JULIE

L'addition ?

BARMAN

(UN SIGNE DE TÊTE VERS LA TABLE
DES DEUX BUVEURS)
Ces messieurs s'en occupent.

FURIEUSE, SANDRA SE RETOURNE
VERS EUX.
BONDIT DE SA CHAISE.
VA VERS LEUR TABLE.
S'EMPARE DE SON ADDITION SANS
DIRE UN MOT EN LES TOISANT D'UN
REGARD FÉROCE.
REVIENT S'ASSEOIR.
REGARDE LE MONTANT DE L'ADDI-
TION.
SORT UN BILLET DE SON SAC ET LE
PLAQUE SUR LE PAPIER.

N.B. SANDRA S'EST COMPORTÉE DE
FAÇON SI RAPIDE, SI PRÉCISE, SI
ARROGANTE, QUE LES DEUX HOM-
MES ONT ÉTÉ TROP SURPRIS POUR
RÉAGIR.

AUTOUR : PETIT REMOUS D'INTÉRÊT AMUSÉ.
LES DEUX HOMMES RICANENT UN PEU.
L'UN D'EUX FRAPPE SON FRONT DU DOIGT POUR MONTRER QU'ELLE EST FOLLE, PUIS, ILS REGARDENT AILLEURS, MAIS SANDRA PARLE ASSEZ FORT QU'ILS ENTENDENT :

SANDRA

(OUTRÉE)
Parce qu'en plus, on n'a pas les moyens de s'offrir un apéro !
Ils sont bien chanceux de ne pas l'avoir eu en plein visage, mon martini !
(ELLE BOIT, VIDANT SON VERRE D'UN SEUL TRAIT)
J'ai trop soif !

JULIE

(GÊNÉE. TOUT BAS)
Tu veux des applaudissements ?
(IMPÉRATIVE)
Change d'allure ou je m'en vais !

SANDRA

Moi aussi, de toute façon !

ELLE RASSEMBLE SES AFFAIRES PUIS SE CALME, POSE LES DEUX COUDES SUR LA TABLE ET, LE MEN-

TON DANS SES MAINS, REGARDE
JULIE... PUIS DERRIÈRE JULIE.

SANDRA

(CHUCHOTANT)
Tu as vu les deux sirènes, là-bas?
(JULIE SE RETOURNE DISCRÈTE-
MENT)
Oui... ces deux-là!... avec des yeux
au beurre noir et des gorges qui pi-
geonnent/

JULIE

Sandra! cesse de les dévisager!

SANDRA

Dans ces cas-là, vois-tu, je méprise
encore moins la clientèle... que la mar-
chandise/

JULIE

Tu développeras ton point de vue dans
le privé! Sortons!

SANDRA

(LA RETIENT ASSISE EN POSANT LA
MAIN SUR SON BRAS. TON DE COM-
PLOT)
Tu sais ce que je vais faire?...
En passant près d'elles pour sortir,

je prends leur addition et je la lance aux deux obsédés... Ça réglera quatre problèmes!... C'est une bonne idée?

JULIE

(BUVANT SA DERNIÈRE GORGÉE. RÉFLÉCHISSANT, PUIS PRENANT LE PARTI DE S'AMUSER)
J'en ai une meilleure...
Scandale pour scandale! je propose deux bonnes gifles!... Toi, tu prends le gros... moi, le petit!

SANDRA POUFFE.
ELLES SE LÈVENT. SE FAUFILENT ENTRE LES TABLES.
FOU-RIRE.
SANDRA ATTRAPE JULIE PAR LA MANCHE.

SANDRA

(PAS TROP FORT MAIS ASSEZ POUR ÊTRE ENTENDUE PAR QUELQUES CLIENT(E)S SCANDALISÉ(E)S OU HILARES)
Ce qu'il y a de bien entre deux femmes, c'est qu'elles ne risquent pas d'en mettre au monde, des dégoûtants pareils!

JULIE

(MORTE DE RIRE)
Sandra! Tu n'es plus sortable!

UNE FOIS À LA PORTE :

JULIE

Et les gifles ?

SANDRA

J'ai manqué de courage !

JULIE

Dommage ! Ça m'aurait tellement bien vengée !

SANDRA

Vengée... pas seulement toi ? Nous deux, tu veux dire ?

JULIE

Je t'expliquerai... Viens...

SANDRA MET CAVALIÈREMENT LA MAIN SUR L'ÉPAULE DE JULIE ET ELLES SORTENT.

*   *   *

117

SCÈNE 11

SALON-BIBLIOTHÈQUE.
EN MÊME TEMPS QUE LA PORTE DU
BAR SE REFERME, ON ENTEND LE
BRUIT ÉLOIGNÉ DE LA PORTE D'EN-
TRÉE DANS LA MAISON DE JULIE.
RETOUR AU PRÉSENT.
LA PIÈCE N'EST ÉCLAIRÉE QUE FAI-
BLEMENT PAR LE FEU DE L'ÂTRE
COMME À LA FIN DE LA SCÈNE 7.
UNE LUMIÈRE DOUCE S'ALLUME
DANS LE HALL.
ON APERÇOIT TRÈS DISCRÈTEMENT
L'AVANT DU FAUTEUIL ROULANT
REPLIÉ ET DISSIMULÉ DERRIÈRE
UNE TENTURE OU UN AUTRE OBS-
TACLE.

MÈRE

(ESSOUFFLÉE)
C'est moi, Julie ! Ça va ?

118

PAR LE REGARD DE JULIE, ON VOIT
LA MÈRE, DE LOIN, DÉPOSER SON
SAC SUR LE BAHUT, ENLEVER SON
MANTEAU ET LE SUSPENDRE À LA
PATÈRE.

JULIE

Oui, et toi ? Tu as l'air d'avoir attrapé
l'orage ?

MÈRE

(S'ÉBROUANT ET S'ASSOYANT POUR
ENLEVER SES BOTTES)
Ce n'est pas le mot ! Le « déluge » con-
viendrait mieux ! . . .
Je me suis noyée ! . . .
Je dégouline ! . . .
Où est Mélie ?

JULIE

Là-haut ! . . . Viens-t'en près du feu !

LA MÈRE SE RELÈVE ET MET LA
MAIN SUR LA RAMPE EN REGARDANT
EN HAUT DE L'ESCALIER POUR PAR-
LER À MÉLIE.

MÈRE

Mélie ? Apporte-moi mes pantoufles, s'il
te plaît ! . . . et prépare-moi un bon
grog . . . bien chaud !

Voix de Mélie

Tout de suite !

MÈRE ENTRE DANS LA PIÈCE. TREMPÉE. SANS CHAUSSURES. UN FICHU SUR LA TÊTE QU'ELLE ENLÈVE ET SECOUE EN REPLAÇANT SES CHEVEUX.

Mère

Tu es dans le noir ! Tu dormais ?

ELLE VIENT EMBRASSER SA FILLE.

Julie

J'ai somnolé un peu . . .

**MÈRE S'EN VA VERS LA CHEMINÉE. POSE LE FICHU SUR L'ACCOUDOIR D'UN FAUTEUIL QU'ELLE RAPPROCHE DU FEU.
ELLE ATTISE LA FLAMME ET S'ASSOIT EN SOUPIRANT.**

Mère

Tu avais raison pour Anaïs . . .
Peut-être que Dieu devrait la prendre . . .
Je serais rentrée plus tôt, mais elle ne voulait pas que je parte . . .

120

JULIE VOIT SA MÈRE DE PROFIL, QUI
FIXE LE FEU.

JULIE

(UN PEU IRONIQUE)
Ça te fait bien plaisir, avoue-le ?
Si elle meurt, elle te manquera.

MÈRE

Naturellement !

UN TEMPS.
MÈRE SE FROTTE LES MAINS POUR
LES RÉCHAUFFER ET REPLACE LE
FICHU EN LE LISSANT SUR L'ACCOU-
DOIR.
UN TEMPS.

JULIE

Maman . . .

MÈRE

Oui ?

JULIE

La maison . . . (ELLE HÉSITE)
L'hypothèque ? . . . tu l'as réglée ?

MÈRE

Ne te préoccupe pas de ces choses,
ma Julie !

JULIE

(PLUS FERME)
Je veux savoir ce que tu as fait avec
l'argent des assurances ?

MÈRE

(SENTENCIEUSE)
Il n'y a qu'une chose à faire avec de
l'argent... c'est de le donner à ceux
qui n'en ont pas ! Tu manques de quelque chose ?

JULIE

(SOURIRE AMER)
Non ... de rien du tout !
(SE RAVISANT)
Si, pourtant, j'ai besoin de quelque
chose ... d'une machine à écrire.

MÈRE

(SE LÈVE ET VIENT VERS JULIE.
HEUREUSE)
Mais je te rapporte la tienne tout de
suite demain, ma chérie ! Nous la met-
trons là ... (GESTE) où elle était !
Comme je suis contente ! Alors, tu penses que tu pourras ?/

122

JULIE

C'est une autre machine que je veux...
avec des têtes d'impression amovi-
bles... pour changer les caractères à
volonté/

MÈRE

Mais bien sûr!
(PETIT GESTE AFFECTUEUX COMME
DE LUI TOUCHER LE BOUT DU NEZ)
Dis donc? ce ne serait pas ton anni-
versaire bientôt, par hasard?

MÉLIE ENTRE AVEC LES PANTOU-
FLES ET DEUX GROGS SUR UN PETIT
PLATEAU.

MÉLIE

(MET LES PANTOUFLES AUX PIEDS
DE MÈRE ET POSE UN DES DEUX
GROGS SUR LA TABLE DE JULIE EN
S'ADRESSANT À ELLE)
J'en ai préparé deux! J'ai pensé que
vous en auriez envie...

JULIE

(RAVIE)
On ne peut rien te cacher! Merci, ma
belle.

MÉLIE

(À MÈRE)
Où je mets le vôtre ?

MÈRE

Là . . . près de mon fauteuil (GESTE)

AVANT D'OBÉIR, MÉLIE S'ADRESSE
ENCORE À JULIE.

MÉLIE

Vous vous couchez bientôt ?

MÈRE VA S'ASSEOIR ET COMMENCE
À SIROTER SON BREUVAGE.

MÉLIE

Pas tout de suite . . . Tu peux rester un
peu avec nous si tu veux ? Le feu est
bon . . .

MÉLIE

Je préfère monter, mademoiselle Julie . . .
Il y a un beau film à la télé dans cinq
minutes . . .
Je l'ai déjà vu, mais je comprends tou-
jours mieux la deuxième fois . . .
Ça s'appelle *Olivia* !

124

(ELLE SORT) Vous sonnerez !

JULIE EST TROUBLÉE AU MOT « OLI-
VIA ».
UN TEMPS. ELLES BOIVENT.

MÈRE

Il est délicieux !
. . . . . .
Pour la machine à écrire, je demanderai
à Laurent de s'en occuper... il connaît
sûrement quelqu'un/

JULIE

(AGACÉE)
Pas la peine ! J'ai téléphoné pour qu'on
m'envoie des dépliants/

MÈRE

Mais voyons, Julie ! par Laurent, nous
l'aurions peut-être à meilleur compte !

JULIE

Tu ne pourrais pas te passer de lui
de temps en temps ? Je n'en veux pas,
de Laurent ! Je ne veux plus qu'il s'occupe de moi, c'est clair ?
(HAUSSANT LE TON)
Je veux qu'il se remarie avec une vraie
femme ! une femme « complète » ! On

125

dirait que tu ne te rends pas compte de la vie qu'il mène entre une infirme et son bureau !/

MÈRE

Mais oui, ma fille, je m'en rends très bien compte, mais pour l'instant, je me rends compte surtout que c'est toi qui lui rends service.

UN TEMPS.
JULIE RÉFLÉCHIT.
ELLES BOIVENT À PETITES GOR-GÉES.
PUIS, LA MÈRE POSE SON VERRE VIDE ET APPUIE SA TÊTE POUR SE REPOSER.

JULIE

Maman . . .

MÈRE

Ne parlons plus, ma Julie, laisse-moi me reposer un peu . . . On est si bien . . .
(ELLE FERME LES YEUX)

JULIE

(TOUT BAS. TRÈS DOUCE)
Maman . . .
(AU BORD DES LARMES)
J'étais amoureuse de Sandra.

126

MÈRE

(SANS OUVRIR LES YEUX. COMME
PRÊTE À S'ENDORMIR)
Je le sais . . .

JULIE

Je l'aimais d'amour . . . Avec un grand
« a » et pour toujours ! comprends-tu ?

MÈRE

Oui . . .

ET C'EST LA MÈRE QUI VA REVIVRE
LA SCÈNE QUI SUIT.

*   *   *

SCÈNE 12

HUIT MOIS AUPARAVANT.
BOUDOIR DE L'APPARTEMENT DE
MÈRE OÙ ELLE VIT SEULE.
MÈRE EST ASSISE DANS UN FAU-
TEUIL ET REGARDE LES ROSES EN
PARLANT.
LAURENT, D'ABORD ASSIS, SE LÈ-
VERA POUR ARPENTER LA PIÈCE.
MISE EN SCÈNE AD LIB.
LA CONVERSATION EST ENGAGÉE
DEPUIS UN MOMENT.

FRANÇOISE

(TON FATIGUÉ)
J'y consentirais de grand cœur!...
Je l'ai même souvent souhaité, ce ma-
riage!/

LAURENT

Qui serait le salut de Julie ! vous le
savez !

FRANÇOISE

Non ! je ne le sais pas !
(UN TEMPS. ELLE VEUT ORIENTER
AUTREMENT LA CONVERSATION)
Quelquefois . . . – autant te le dire, Laurent – . . . j'ai vu dans ton projet et dans
ton obstination à vouloir le réaliser, bien
autre chose que le bonheur de ma
fille . . .
(GÊNÉE)
et je ne suis pas fière d'y avoir pensé ! . . .
Tu es riche ! et tu connais notre situa-
tion ! . . . Mon pauvre mari nous a lais-
sées au bord de la ruine.

LAURENT

Vous vous réfugiez dans des scrupules
pour éviter de voir la vérité en face . . .
(DÉTACHANT BIEN LES MOTS DE SA
PHRASE)
Julie « vit » avec Sandra !

FRANÇOISE

Laurent ! je t'en prie, contrôle-toi !
(PERSUASIVE) Essaie de comprendre . . . Ces deux filles sont nées pour
ainsi dire dans le même berceau. Elles
ne se sont jamais quittées et se sont

toujours comportées mieux que deux
vraies sœurs/

LAURENT

Oui ... beaucoup mieux ! Tellement
« mieux » qu'avec le temps, c'en est devenu « exemplaire » ! mais je ne vous
conseille pas de les citer en exemple
à plus averti que vous ! Votre aveugle-
ment ferait sourire/

FRANÇOISE

Je ne me suis jamais souciée de l'opi-
nion d'autrui : ce n'est pas aujourd'hui
que je commencerai ! Je n'ai même pas
l'intention de me soucier de la tienne,
Laurent.

LAURENT

Vous avez tort ! Si seulement vous con-
sentiez à ouvrir les yeux/

FRANÇOISE

J'étais peut-être aveugle aussi autrefois ? et sourde par-dessus le marché ?
mais alors tout le monde l'était avec moi !
car dans tous les pensionnats qu'elles
ont fréquentés, jamais personne n'a pu
les accuser de ... de ce que tu insinues/

LAURENT

(HAUSSANT LE TON)
Qu'en savez-vous ? À moins de flagrant
délit, on ne va pas hurler ces choses-là
sur les toits ! On les chuchote, et, en
général, dans le dos des intéressés !/

FRANÇOISE

(FERME)
Je te prie de chuchoter, toi aussi ! ou
bien de te taire !
(UN TEMPS)
(CALME. COMME POUR ELLE-MÊME)
Tu n'as pas cru si bien dire tout à
l'heure en parlant d'« exemple » ! car
bien des mères, alors, m'ont enviée :
pas une bouderie d'enfant qui ait duré
plus de cinq minutes . . . pas une blessure infligée à l'une dont l'autre n'ait aussitôt souffert . . . pas un éclat de rire sans
écho ! (UN TEMPS)
Bien sûr, j'ai souvent désapprouvé les
sentiments excessifs de ma fille pour
Sandra . . .
Il y avait chez cette enfant quelque
chose de fier et d'agressif que j'avais
du mal à supporter . . .
Elle ne m'était reconnaissante de rien
du tout . . . Pourtant, ce que j'avais fait
pour elle . . .
Enfin ! je ne vais pas me lamenter pour
un merci qu'on a oublié de me dire . . .
J'ai eu mes torts moi aussi . . . Je n'ai
pas été présente autant que j'aurais
dû . . . mais j'ai finalement constaté que
cet aspect du caractère de Sandra qui

m'agaçait tant, cette volonté si farou-
che... cet orgueil et cette détermina-
tion dans tout ce qu'elle entreprend ont
eu sur Julie une influence heureuse...
Ma fille est forte aujourd'hui... des
forces de Sandra!...
Leur amitié/

LAURENT

(EXCÉDÉ)
Leur « amour » ! Françoise !

FRANÇOISE

(TRÈS CALME)
Si tu persistes, Laurent, je refuserai
désormais de te recevoir... comme
elle !

LAURENT

Excusez-moi... Il y a des moments
où je ne sais plus ce que je dis...
ce que je fais...
Je l'aime d'un amour « normal », moi !
d'un amour qui n'est pas... honteux !/

FRANÇOISE

Honteux?... Eh bien, à mon sens, ce
qui est « honteux »... déshonorant...
c'est de se conduire en délateur ! Et
sans preuves encore !... C'est indigne
de toi !

132

De toute façon, ce que tu veux à tout prix me faire entendre, je m'en moque ! Si c'est vrai, et si c'est mal, que Dieu juge !

LAURENT

Et c'est pour n'être ni témoin, ni juge, que vous avez déserté ?/

FRANÇOISE

(HAUTAINE. DIGNE)
Je n'ai pas à te donner les raisons pour lesquelles j'ai quitté la maison de mes filles, afin de vivre seule...
Ces raisons... ces doutes... ne regardent que moi !
Il y a cependant une chose que je dois te répéter, en toute connaissance de cause, et au risque de te blesser encore une fois... c'est que Julie ne t'aime pas !
Toute l'estime qu'elle avait pour toi/

LAURENT

Elle ne m'aime pas ! et n'aimera jamais aucun autre homme... parce qu'elle aime Sandra ! L'obstacle entre Julie et moi... c'est une femme !... Françoise, y pensez-vous ?... c'est inconcevable... ridicule...: j'ai une femme pour « rival » !

133

FRANÇOISE

(SCANDALISÉE)
Cette affreuse jalousie t'égare . . .
Je n'aurais jamais cru qu'un homme de
ta trempe irait jusqu'à s'abaisser comme
tu le fais !
C'est si pénible, mon enfant, que je ne
supporterai plus jamais pareil spectacle
et pareil entretien . . . mais puisque nous
en sommes là aujourd'hui, laisse-moi te
rappeler (comme excuse pour Julie) la
malheureuse conduite que tu as eue
avec elle . . .
Elle t'avait placé sur un piédestal/

LAURENT

Et je me suis conduit comme un goujat !
je sais ! . . . Comme un malade ! Comme
un fou !

FRANÇOISE

(DÉSOLÉE)
Julie ne te pardonnera jamais . . .

DEBOUT, LES MAINS DERRIÈRE LE
DOS, PENSIF, LAURENT REGARDE
LES FLEURS SANS PARLER. ABSENT.
FRANÇOISE LE REGARDE AVEC
COMMISÉRATION.

FRANÇOISE

Je te remercie pour ces magnifiques

roses . . .
(UN TEMPS)
Laurent, que veux-tu que je fasse ?
Te conseiller d'attendre, d'être patient . . .
puisque tu ne veux pas renoncer . . .
c'est vraiment tout ce que je peux faire !
Vois-tu autre chose ?

LAURENT

Plaidez encore ma cause ?

FRANÇOISE

C'est impossible, Laurent . . . Je n'ai plus
aucune influence . . . Julie me croit intéressée . . . et ce qui serait peut-être un
atout pour d'autres, n'en est pas un pour
toi . . .
Elle méprise ton argent !

ELLE REGARDE SA MONTRE ET
LAURENT COMPREND QU'IL DOIT
PARTIR.

LAURENT

(AVEC HUMILITÉ)
Me permettrez-vous quand même de
revenir ?

FRANÇOISE

Quand tu seras raisonnable, oui . . .

135

LAURENT

Dites-moi seulement une chose,
Françoise...
(HÉSITANT)
Dites-moi où elles vont tous les jeudis ?

FRANÇOISE

(INTRIGUÉE. AVEC UN JOLI ÉCLAT
DE RIRE)
Tous les jeudis ?... Mais... elles vont
dans les magasins !

LAURENT

Je sais.

FRANÇOISE

Eh bien ?

LAURENT

Mais après ? Après, où vont-elles ?

FRANÇOISE

Après, elles ont l'habitude de dîner ensemble au restaurant.

LAURENT

Justement ! je voudrais savoir... dans

quel restaurant ?

FRANÇOISE

Tu m'inquiètes ! Qu'est-ce que tu as derrière la tête ? Tu ne vas tout de même
pas les espionner ?

LAURENT

(L'AIR ÉGARÉ. TON FAUSSEMENT
GÊNÉ. JOUANT À L'AMOUREUX SEN-
TIMENTAL)
Tout de même pas ! Je voudrais seule-
ment savoir ... enfin ... vous compre-
nez ? ... Pour y aller ...
(HYPOCRITE)
un autre jour que le jeudi, évidemment !

FRANÇOISE

(RÊVEUSE. ATTENDRIE)
T'asseoir où elle s'assoit !
Manger ce qu'elle mange ! Voir les gens
qu'elle voit ! ...
Quel enfant ! ...
Tu en es là ?

ELLE SOURIT. SE LÈVE ET CHUCHO-
TE À SON OREILLE, EN LUI TENDANT
LA MAIN COMME UNE COMPLICE :

FRANÇOISE

Tu es touchant ...

137

Je crois savoir qu'elles vont souvent au
Saint-Amable . . .

ON SENT AUSSITÔT QUE CE DÉTAIL
EST GRAVE ET QUE FRANÇOISE RE-
GRETTE . . .
ON REVIENT AU PRÉSENT PAR SON
VISAGE EN GROS PLAN. ELLE OU-
VRE LES YEUX EN ENTENDANT LA
VOIX DE JULIE.

*   *   *

SCÈNE 13

SALON-BIBLIOTHÈQUE.
COURTE SCÈNE DE TRANSITION.
MÊME CLIMAT DE TORPEUR ET
MÊME ÉCLAIRAGE QU'À LA FIN DE
LA SCÈNE 11.
PRISES DE VUES DIFFÉRENTES
POUR FINIR SUR LE VISAGE DE JU-
LIE QUI ÉVOQUERA LE TABLEAU
SUIVANT.

JULIE

Maman ?

MÈRE

(SURSAUTE ET SE REDRESSE)
Tu m'as effrayée !

JULIE

Maman . . . c'est-toi, n'est-ce pas, qui lui
as dit où nous allions ce soir-là ?

MÈRE

(APPUYANT DE NOUVEAU LA TÊTE
SUR LE DOSSIER DU FAUTEUIL.
LASSE. INFINIMENT TRISTE)
Oui . . .

JULIE

(VOIX ÉTRANGLÉE)
Pourquoi ? . . . Pourquoi ?

*   *   *

SCÈNE 14

PLACE JACQUES-CARTIER. HUIT
MOIS AUPARAVANT.
DIX HEURES DU SOIR. ANIMATION.
MUSICIENS. KIOSQUE DE FLEURS.
CALÈCHES ETC., ETC.
POSTÉE D'ABORD DE L'AUTRE CÔTÉ
DE LA RUE, LA CAMÉRA « TRAVER-
SE » LENTEMENT LA FOULE POUR
ALLER « CHERCHER » JULIE ET SAN-
DRA QUI SORTENT DU SAINT-AMA-
BLE EN RIANT. ELLES SONT UN PEU
GRISES.
TRÈS BELLES ET TRÈS HEUREUSES.

SANDRA S'ÉCHAPPE UN MOMENT
POUR ALLER VERS LE KIOSQUE ET
REVIENT AVEC UN PETIT BOUQUET
DE VIOLETTES QU'ELLE DONNE À
JULIE.
ELLES S'ENGAGENT DANS LA PETITE
RUE SAINT-AMABLE BONDÉE D'AR-

TISTES ET DE FLÂNEURS.
LA CAMÉRA S'ARRÊTE AVEC ELLES
LORSQU'ELLES POINTENT DES DES-
SINS, LES EXAMINENT ET LES COM-
MENTENT (SANS QU'ON LES ENTEN-
DE) OU S'ENTRETIENNENT AVEC UN
« PORTRAITISTE ».

GROS PLANS DE LEURS VISAGES.
ZOOM.
GROS PLANS DE LEURS MAINS
UNIES.
SANDRA VEUT S'ATTARDER, MAIS
JULIE L'ENTRAÎNE VERS LEUR AUTO
STATIONNÉE TOUT PRÈS.
SANDRA OUVRE LA PORTIÈRE POUR
JULIE QUI S'INSTALLE PENDANT
QUE SANDRA, CONTOURNANT LA
VOITURE POUR ALLER S'ASSEOIR
AU VOLANT, APERÇOIT, DANS LA
RUE, LA GROSSE VOITURE AMÉRI-
CAINE DE LAURENT (PHARES EN
VEILLEUSE).
ELLE LE RECONNAÎT.
UN INSTANT STUPÉFAITE.
PUIS ELLE FAIT COMME SI DE RIEN
N'ÉTAIT ET DÉMARRE.

CAMÉRA SUR SIÈGE ARRIÈRE.
JULIE RESPIRE SES FLEURS.
EMBRASSE SANDRA SUR LA JOUE.

JULIE

J'ai trop mangé . . . Toi ?

SANDRA

J'ai trop bu !
(COMME POUR ELLE)
J'ai des visions !

JULIE

Tu veux que je conduise ?

AU MOMENT OÙ LA VOITURE S'EN-
GAGE DANS LA RUE : REGARD DE
SANDRA DANS LE RÉTROVISEUR.
LAURENT DÉMARRE AUSSI ET SUIT.

SANDRA

Parce que tu es très lucide, peut-être ? . . .
Tu verrais mieux les « embûches » ?

JULIE

Sûrement pas ! mais ce serait si bon
de mourir ensemble ! . . .
Je t'aime !

À LA PLACE DE LAURENT DANS LE
RÉTROVISEUR, SANDRA VOIT LA
GROSSE TÊTE DU CHAT NOIR . . .
IMAGE FIXE UN MOMENT.

SANDRA TENTE DE SEMER LAURENT
ET SE DIRIGE VERS L'AUTOROUTE
BONAVENTURE.

143

JULIE

Où vas-tu ? Ce n'est pas la route ?

SANDRA

Je « nous » promène !

PAR LE REGARD DE SANDRA DANS
LE RÉTROVISEUR :
IMAGES ALTERNANTES DE LAURENT
ET DU CHAT.
ELLE ACCÉLÈRE.

JULIE

Tu nous promènes trop vite, Sandra !
(ELLE RIT POUR DES RIENS PARCE
QU'ELLE EST HEUREUSE ET UN PEU
IVRE)

SANDRA

As-tu pensé à nourrir le chat ?

JULIE FOUILLE DANS SON SAC.
EN RETIRE UNE SERVIETTE DE
TABLE.
L'ENTROUVE : IL Y A DES RESTES
DE NOURRITURE DEDANS.

JULIE

Regarde !

144

COUP D'ŒIL DE SANDRA QUI ÉCLA-
TE DE RIRE.

SANDRA

Tu n'as pas fait ça, Julie ?
Le « doggy bag », c'est bon pour les
Américains !

ELLE PREND UN VIRAGE À TOUTE
ALLURE, EN FAISANT CRISSER LES
PNEUS.
PUIS, SE RAVISANT. UN PEU FÂ-
CHÉE :

SANDRA

Il va falloir téléphoner à Gérard pour
t'excuser !
Demain matin, à la première heure !

JULIE

J'ai laissé un énorme pourboire !
Un pourboire . . . (DIFFICULTÉ
D'ÉLOCUTION) . . . royal !
(ELLE RIT ET PREND LE TON D'UN
HOMOSEXUEL)
Il comprendra, Gérard ! Il comprend
tout, Gérard !

SANDRA

(FAUSSEMENT SCANDALISÉE)

Parvenue !... Mal élevée ... Si ta mère
t'entendait !...
Et dire que c'est moi, la fille du peu-
ple !... comment dit-elle ça ?... tu sais :
son mot favori ?

(REMETTANT LE PAQUET DANS SON
SAC)
Plé-bé-i-en-ne !...
Sandra ! ralentis ! On va se faire arrêter !

ELLE RAMASSE LES VIOLETTES QUI
AVAIENT GLISSÉ PAR TERRE DANS
LES SECOUSSES ET LES RESPIRE
EN CHANTONNANT :
« JE SUIS ALLÉE CE MATIN AU
BOIS » ...

SANDRA

Veux-tu de la musique ?

JULIE

Tu n'aimes pas la mienne ?

SANDRA

Tu chantes faux, Julie, c'est affreux !

ELLE REPREND LA MÉLODIE TOUT

EN NE CESSANT DE REGARDER
DANS LE RÉTROVISEUR.

SANDRA

Il y a longtemps que tu as eu des nouvelles de Laurent ?

JULIE FEINT DE COMPRENDRE
QU'ELLE PARLE DU CHAT :

JULIE

La dernière fois que je l'ai vu... c'était
ce matin, je crois... vers neuf heures !
Il portait un manteau de fourrure noire...
Une superbe fourrure !... Tu le con-
nais ?... Toujours d'un chic !...
(ELLE FAIT DES MANIÈRES)
Une grâce !...
Une élégance !...
Tout naturellement, il s'est dirigé vers
notre lit où il s'est couché en boule...
à ta place... en ronronnant !... Tu ne
l'as pas vu ?

SANDRA

Folle !

JULIE

(PLUS SÉRIEUSE. APEURÉE)
Laisse-moi tranquille avec Laurent !...

147

Si tu ne ralentis pas, je descends...
Mais... où vas-tu, Sandra?

SANDRA

Je prends la « Bonaventure »...
Il y a trop de monde en ville!

VOYANT QUE LAURENT LES SUIT
TOUJOURS, ELLE S'ÉNERVE.
APPUIE SUR L'ACCÉLÉRATEUR ET
PASSE UN FEU ROUGE.
JULIE SE BLOTTIT CONTRE SON
ÉPAULE EN MURMURANT:

JULIE

Je remets mon âme entre tes mains
adorées.

SANDRA

Si tu savais comme je t'aime!
......
Pour l'éternité!

L'ACCIDENT:
CAMÉRA-TÉMOIN À L'EXTÉRIEUR.
ROUTE ÉCLAIRÉE PAR LES RAMPES
QUI DÉFILENT À TOUTE VITESSE.
« EFFETS SPÉCIAUX » IMAGES TOUR-
NANTES À CONTOURS « ENNUA-
GÉS ».
PUIS FRACAS ÉPOUVANTABLE.

148

LE PARE-BRISE « S'ÉTOILE » ET LE VISAGE DE SANDRA APPARAÎT DERRIÈRE, EN GROS PLAN. INERTE. MAIS TRÈS BEAU. SANS BLESSURES APPARENTES.
SIRÈNE LOINTAINE D'UNE VOITURE DE POLICE.
REFLET DU SIGNAL ROUGE QUI SE RAPPROCHE.
FILTRE ROSE QUI VA ROUGISSANT SUR LE VISAGE DE SANDRA.

*   *   *

SCÈNE 15

BORD DE MER.
TRANSITION SUR SOLEIL ROUGE,
CRIS DE MOUETTES ET CHÂTEAU
DE SABLE.
JULIE ET SANDRA SONT ASSISES
DE PART ET D'AUTRE.
VUES DE DOS.
LEURS BRAS ENTOURENT LEURS
GENOUX REPLIÉS.
ELLES ADMIRENT LE COUCHANT.
AU BOUT D'UN MOMENT, SANDRA
TOURNE LA TÊTE VERS JULIE.
SEMBLE LA VOIR POUR LA PREMIÈ-
RE FOIS.
VISAGE ÉTONNÉ. ÉBLOUI.
COMME SENTANT CE REGARD, JULIE
SE RETOURNE À SON TOUR.
MÊME EXPRESSION DE SURPRISE
ET DE RAVISSEMENT.
ENSEMBLE, ELLES SE LAISSENT
TOMBER SUR LE CÔTÉ ET SE RE-
GARDENT DANS LES YEUX, TANDIS

QUE LEURS MAINS JOUENT À SE
CHERCHER DANS LES DÉDALES ET
LES DOUVES DU CHÂTEAU (GROS
PLANS).
FINALEMENT LEURS MAINS SE RE-
JOIGNENT ET S'ÉTREIGNENT DANS
LE PETIT OUVRAGE DE SABLE
QU'AINSI, ELLES DÉTRUISENT . . .
SANDRA SE LÈVE, ACHÈVE DE LIS-
SER LE SABLE AVEC SON PIED,
PREND LES DEUX MAINS DE JULIE
ET L'AIDE À SE RELEVER . . .
ON LES VOIT FACE À FACE. LE SO-
LEIL DERRIÈRE (RAYONS . . .
« EFFETS SPÉCIAUX » . . .)
LE CIEL S'EMBRASE . . .
ALORS SANDRA, TRÈS ÉMUE, AVEC
DES GESTES TRÈS TENDRES, AMOU-
REUX, FAIT GLISSER LA CHEMISE
DE JULIE LE LONG DE SES BRAS.
AUSSITÔT QU'ELLE EST DÉGAGÉE,
JULIE FAIT DE MÊME POUR SANDRA.
LONG MOMENT DE TROUBLE.
PUIS SANDRA, EXALTÉE, RAMASSE
LES DEUX CHEMISES ET LES LANCE
EN L'AIR COMME POUR DONNER
L'ENVOL À DES OISEAUX . . . QUI
VIENNENT FRÔLER LA LENTILLE DE
LA CAMÉRA.
(EFFETS D'AILES ROSES ET BLEUES)
VIVEMENT, SANDRA ATTRAPE JULIE
PAR LA MAIN ET L'ENTRAÎNE EN
COURANT VERS LA MER.
LA CAMÉRA RESTE SUR PLACE JUS-
QU'À CE QU'ELLES AIENT DISPARU.

*   *   *

SCÈNE 16

JARDIN.
AUX LUEURS FLAMBOYANTES DU
COUCHANT SUR LA MER, SE SUPER-
POSENT, EN FONDU, LES DOUCES
TEINTES DU CIEL D'AUTOMNE.
AUX CRIS DES MOUETTES, FONT
PLACE : BRUISSEMENTS DE FEUIL-
LAGES ET LÉGER GAZOUILLIS D'OI-
SEAUX.

LA CAMÉRA SAISIT D'ABORD LA
TÊTE DES ARBRES ET DESCEND
LENTEMENT VERS L'ALLÉE.
AU PREMIER PLAN : LAURENT ACHÈ-
VE D'INSTALLER JULIE DANS SON
FAUTEUIL ET DE BIEN LA COUVRIR.

LAURENT

Tu n'auras pas froid ?

152

JULIE

Penses-tu !
(ELLE CACHE SES MAINS DANS LA
FOURRURE DU CHAT)
Regarde mon petit manchon !

ILS COMMENCENT À S'ÉLOIGNER
JUSQU'À SE FONDRE AU LOIN DANS
LES FEUILLAGES . . .

JULIE

Comme il fait beau, Laurent ! . . .
Tu ne vas pas à la chasse cette année ?

LES VOIX SE PERDENT POUR FAIRE
PLACE À LA SEULE VOIX DE JULIE
OFF.

LAURENT

Pour la machine à écrire, tu la veux
de quelle couleur ? . . . Elle existe en
beige ou en bleu.

JULIE

(SPONTANÉE. HEUREUSE)
En bleu !

UN TEMPS.

JULIE (OFF)

Sandra de la mer . . .
Dans ma mémoire, la plage est de nouveau déserte, comme ce jour-là . . .
Le sable a retenu nos châteaux et l'in-
nombrable souvenir de tes pas dan-
sants . . .
Au-dessus de nos têtes, les goélands
répondent encore à l'écho de ton rire
et moi, comme alors, j'entends le bonheur qui s'approche . . . furtivement . . .
en même temps que s'approche de l'ho-
rizon le soleil en feu . . .

. . .

Après ces mois de brouillard pendant
lesquels je n'arrivais à revoir qu'un seul
aspect de ton visage, – le dernier ! – je
puis maintenant, comme autrefois, en
capter les moindres variantes . . . les
plus subtiles émotions . . .

. . .

Je recommence à vivre dans ton sillage,
Sandra du soleil, des profondeurs de
l'océan et du giron de la terre . . .
Si lointaine sois-tu maintenant, il me
semble encore mieux sentir ta présence
dans ce jardin qu'aux moments les plus
intenses de ton emprise sur moi . . .
mieux entendre ta voix qu'aux temps les
plus sonores de notre vie . . .
Cher feuillage de ma forêt . . .
Cher amour en forme d'oiseau . . .
Sandra de toutes mes saisons . . .
j'écrirai ton histoire . . .

UN TEMPS.

Voix de Sandra

« Le bonheur a marché côte à côte
avec moi ;
Mais la fatalité ne connaît point de trêve ;
Le ver est dans le fruit, le réveil dans
le rêve,
Et le remords est dans l'amour : telle
est la loi.
– Le Bonheur a marché côte à côte avec
moi. »

FIN

LE PAPIER D'ARMÉNIE

Texte dramatique pour la radio

*À la regrettée Lise Lasalle
parce que je n'ai pas eu le temps
de lui dire mon admiration et
ma reconnaissance.*

LE PAPIER D'ARMÉNIE a été diffusé au réseau FM de Radio-Canada le 12 novembre 1979.

Interprètes: FRANÇOISE FAUCHER
              LISE LASALLE
              HEDWIGE HERBIET
              RAYMOND BOUCHARD

Musicien :   ANDRÉ MIGNAULT

Réalisateur : GUY LAGACÉ

LE PAPIER D'ARMÉNIE

PERSONNAGES

ANDRÉE près de quarante ans.

LAURENT près de quarante-cinq ans (ils sont divorcés).

SOPHIE dix-neuf ans, leur fille.

JEANNE sœur d'Andrée.

ALAIN   violoncelliste, voisin et amant d'Andrée, nettement plus jeune qu'elle.

LE PAPIER D'ARMÉNIE

PREMIÈRE PARTIE

LA PRÉSENTATION EST « ENTOU-
RÉE » D'UN SOLO DE VIOLONCELLE.
APRÈS QUELQUES MINUTES, ON
ENTEND UNE FENÊTRE SE REFER-
MER DOUCEMENT DE SORTE QUE
LA MUSIQUE SERA ALORS PERÇUE
EN SOURDINE JUSQU'À INDICATION
CONTRAIRE.

ANDRÉE
(MURMURANT) Pardon, Alain... mais
j'ai trop froid pour laisser la fenêtre ouverte... Depuis cinq ans... je meurs
de froid !... même au plus chaud soleil
des jours d'été quand je t'écoute au
jardin... même aux plus chaudes nuits
de notre amour... (SOUDAIN PERDUE)
Quel amour, Alain?... Je n'ai pas
d'amour pour toi...

BRUITS DISCRETS ÉVOQUANT UN

163

FROISSEMENT DE PAPIER, LE CRA-
QUEMENT D'UNE ALLUMETTE ET UN
FEU DE CHEMINÉE AU MOMENT OÙ
IL COMMENCE À CRÉPITER.

Andrée

C'est l'heure . . . Maintenant, c'est l'heure
du feu . . . Le soleil se couche et moi je
le rallume . . . pour toi, ma douce . . .
(UN TEMPS) Voilà . . . Maintenant tu
peux entrer . . . mais que je n'entende
rien ! comme d'habitude, chère invitée-
fantôme . . . Je me retournerai d'instinct,
seulement quand tu seras là, la chevelure dénouée sur ton tricot bleu . . . là . . .
assise en tailleur au milieu des fleurs
du tapis . . . (UN TEMPS)

TISONNIER REMUANT DES BÛCHES.

Andrée

L'arbre . . . Pauvre arbre débité ! . . . Est-
ce donc toujours le même que je mar-
tyrise ! . . . Comment ai-je pu, cette année
encore, renvoyer le bûcheron quand il
allait m'aider . . . Je suis restée seule
avec le douloureux plaisir de corder
tout ce bois de mes propres mains . . .
(UN TEMPS)

LA VOIX DE JEANNE DEVRA ÊTRE
ENTENDUE À TRAVERS UN FILTRE.

Jeanne

Bonjour Andrée !

ANDRÉE
(VOIX HEUREUSE) Jeanne !

JEANNE
(VOIX NEUTRE, SÉVÈRE, BEAUCOUP
PLUS DURE QUE CELLE D'ANDRÉE)
Tu as oublié le papier d'Arménie.

ANDRÉE
Mais tu es là quand même ! . . .

JEANNE
(IMPATIENTE) Allume ce papier . . . J'ai
besoin de l'odeur . . . Allume, Andrée !

ANDRÉE
(NERVEUSE. FÉBRILE) Je . . . Je ne le
trouve pas . . .

JEANNE
(FROIDE) Étourdie ! Il est toujours à la
même place . . . là . . . sur ton secrétaire . . . Mais soulève tes paperasses,
voyons ! . . . Vite, Andrée ! ou je m'en
vais/

ANDRÉE
(AFFOLÉE) Non ! . . . Attends ! . . . je
l'ai . . .

PAPIERS DÉPLACÉS. CRAQUEMENT
D'ALLUMETTE.

LA MUSIQUE S'ARRÊTE BRUSQUE-
MENT.

JEANNE
(SATISFAITE) J'ai besoin de l'odeur, tu
comprends...

ANDRÉE
Je ne comprends pas, mais ça ne fait
rien pourvu/

JEANNE
(IRONIQUE) Ton amant ne joue plus...

ANDRÉE
Ne m'accable pas... Je suis une femme
seule... si seule...

JEANNE
Je ne te fais pas de reproches, ma
chérie, mais la maîtresse d'un homme
n'a plus de passé !

ANDRÉE
Que veux-tu dire ?

JEANNE
Je veux dire tout simplement que le
papier d'Arménie est le symbole de notre
enfance !... le sésame, ouvre-toi !...
la clef des songes !... Si tu ne t'en souviens plus c'est que tu vis dans le pré-

166

sent de ta chair et dans l'obsession d'un homme... Les adultes sont amnésiques, Andrée... Les amoureux regardent l'avenir...

ANDRÉE

Tu es injuste avec moi... Comme toujours!... Cruelle pour le plaisir... Je ne suis pas amoureuse... et je n'ai rien oublié...

JEANNE

Respire!

ON LES ENTEND RESPIRER TOUTES DEUX.

ANDRÉE

(RÊVEUSE) C'est ainsi que nous faisions apparaître les fantômes et disparaître les vivants!... Un filet de fumée... Cette odeur âcre...

JEANNE

Nous étions droguées...

ANDRÉE

Parle-moi de notre enfance, Jeanne... comme d'habitude...

JEANNE

(IMPÉRATIVE) Ne reçois plus cet homme dans ton lit... Laurent te tuerait!

ANDRÉE

(ÉTONNÉE) Mais... enfin... Laurent
et moi sommes divorcés depuis cinq
ans!... Je ne vois pas/

JEANNE

Tu ne vois jamais rien!

ANDRÉE

Parle d'autrefois, je t'en prie...

JEANNE

(CONSENTANTE. UN PEU RADOU-
CIE) Notre enfance était savoureuse
comme un fruit!... Nous l'avons dévorée
à belles dents... en la tenant à quatre
mains, l'une en face de l'autre... jusqu'à
nous mordre la langue... (ELLE RIT
PUIS SE REPREND) Pour Laurent,
nous avons agi de la même façon.

ANDRÉE

Je ne m'en suis pas aperçue...

JEANNE

Évidemment!

ANDRÉE

(PENSIVE. TRISTE) Si pourtant... Le
dernier jour... Dans ce chalet... Dans
cette forêt... j'ai compris...

JEANNE

Et tu as pensé que c'était la première fois?... que Dieu nous avait punis... juste pour cette première faute?

ANDRÉE

Non... J'ai pensé que vous m'aviez menti... très longtemps... Depuis le jour où je t'avais confié ma petite fille en croyant que j'allais mourir de l'avoir mise au monde... Parle-moi de l'enfance...

JEANNE

Alors c'est ainsi que tu as jugé? Tu te trompais encore!

ANDRÉE

(TRÈS DOUCE) Je n'ai pas jugé!... J'ai pensé que c'était normal... mais que vous auriez dû me parler/

JEANNE

Te parler de quoi?

ANDRÉE

Mais... de votre amour, Jeanne! qui devait être d'autant plus beau que vous l'aviez caché comme un trésor!

JEANNE

Quel trésor?... C'est toi que nous aimions tous les deux!

169

Pour rien au monde/

ANDRÉE
Tais-toi. Il est trop tard de toute façon.

JEANNE
La vérité, tu ne voudras donc jamais la connaître ?

ANDRÉE
J'ai imaginé toutes les vérités... Aucune ne me convient... Aucune n'est dans l'ordre des choses... Aucune... imaginable...

JEANNE
Je ne me suis pas mariée... J'avais ma place dans ta maison... et ton enfant dans les bras :... c'était une vérité imaginable ?

ANDRÉE
Oui... Nous étions heureux... Je m'en remettais à toi pour tout !

JEANNE
Et pour tes maladies prolongées ?... et pour tes randonnées dans les nuages ?

ANDRÉE
Oui...

170

JEANNE

Douce Andrée... ma chère sœur...
tu ne t'es pas trompée pour la forêt!...
Seulement, si ce n'était pas la première
fois, ce n'était pas la centième non
plus...
Cet automne-là fut si beau!... Somp-
tueux!... Les feuilles tombaient comme
de l'or autour de nous, mais lentement... légères... d'elles-mêmes fati-
guées de vivre et n'ayant besoin que
d'un coup de vent pour se détacher des
branches... (COMME POUR ELLE-
MÊME) Laurent se jetait sur moi comme
une bête! Tout chavirait dans son plaisir!

ANDRÉE

(TRÈS BAS) Et dans le tien...

JEANNE

(SUIVANT SA PENSÉE) La tête des
arbres!... Ce ciel bleu, intense!...
Et notre tête, à nous, devant toi!...
en rentrant!

ANDRÉE

Jeanne! ça ne sert plus à rien!... Je
voudrais que tu me rappelles autre chose... de plus anciennes saisons...

JEANNE

(COMME POUR CÉDER AU CAPRICE
D'ANDRÉE. RADOUCIE)
Tu étais la fille... moi, le garçon...

171

Tu étais la novice, moi... la supérieure... Je donnais les ordres et tu obéissais sans jamais protester... À l'heure convenue, tu allais chercher l'encens et le feu où notre mère les avait cachés et tu me suivais docilement jusqu'à la remise... Je chuchotais : «Ferme la porte... Viens par ici...» Je te serrais dans mes bras pour que tu n'aies ni froid ni peur et, dans l'odeur du papier qui brûlait, je t'expliquais l'univers... et mon corps... en avance d'une année sur le tien...

ANDRÉE

Continue...

JEANNE

C'est bien de cette saison-là que tu veux te souvenir ?

ANDRÉE

Oui... Je veux savoir si je t'aimais d'amour... en te détestant de toute mon âme! en te craignant comme l'enfer!

JEANNE

La réponse est en toi.

ANDRÉE

Je veux savoir pourquoi je me suis laissée dominer... pourquoi j'ai accepté que tu prennes ma place dans le cœur

de mon mari … et dans le cœur de
ma fille …

JEANNE

La réponse n'est pas ailleurs qu'en
toi ! … Je te dirai seulement … que tout
cela est naturel … La haine et l'amour
enchevêtrés ! ainsi que nos cheveux
lorsque, dos à dos, nous en faisions
deux tresses pour essayer ensuite de
nous désunir en criant de douleur …
et de joie …
Quand deux sœurs ont le même miroir
pour se regarder et le même lit pour
dormir/

ANDRÉE

(AU BORD DES LARMES) Jeanne !

JEANNE

Ne crains rien ! … il y a des mots que
je prononcerai pas ! Tu es une adulte
maintenant ; c'est avec un homme que
tu dors … Comme tes pareilles, tu fer-
mes les yeux sur l'évidence en cherchant la vérité au bord d'une source
tarie ! … Tu renies ce qui a existé sous
prétexte que cela n'est plus « dans l'ordre des choses » … que cela n'est plus
« imaginable » !

ANDRÉE

(UN TEMPS) … Nos verts paradis !

JEANNE

(APEURÉE) N'approche pas de ce tapis
Andrée !

ANDRÉE

Excuse-moi . . . Quelquefois tu es si
réelle . . .

JEANNE

Tu es folle ? qu'est-ce que tu as aujour-
d'hui ?

ANDRÉE

(HÉSITANTE) Je ne te toucherai pas . . .
Je . . . Je voulais seulement te montrer
encore la photo . . . celle du chalet . . .
la forêt derrière . . .

BRUISSEMENT DE FEUILLES D'A-
BORD TRÈS DOUX, SUIVI DE VENT
EN FORÊT, QUI VA S'INTENSIFIANT
DURANT TOUTE CETTE SCÈNE JUS-
QU'AU FRACAS DE L'ARBRE ABATTU.

JEANNE

(IMPÉRATIVE) Brûle cette photo ! . . .

ANDRÉE

(RÉSIGNÉE) Si tu veux . . .

BRUIT DU RIDEAU DE MAILLES OU
DU TISONNIER POUR INDIQUER
QU'ANDRÉE EST PRÈS DE LA CHE-
MINÉE.

174

ANDRÉE

(ENCHAÎNANT)... mais ce n'est pas de cela que j'ai souffert, tu le sais bien!... (AFFOLÉE) Jeanne! attention! reste où tu es! Tu vas rompre le charme!

JEANNE

Pardon... Il m'arrive à moi aussi de penser que je suis vivante... (UN TEMPS) (PENSIVE) Laurent me prenait comme une bête furieuse...

ANDRÉE

Il t'aimait!... Depuis de longues années!... C'était une histoire tout à fait banale : un homme ne sait jamais choisir entre deux sœurs!

JEANNE

Est-ce ainsi que ton musicien se jette sur toi?

ANDRÉE

(TRÈS CALME) Non... Alain est très doux... très tendre... Comprends... Quand j'ai trop froid, sa musique me réchauffe... Je l'écoute pendant des heures et j'oublie que je suis de glace... Je crois qu'il a pitié de moi... mais il n'en sait rien... Il est jeune!... Je serais toujours seule sans lui...

JEANNE
Sophie, où est-elle?

ANDRÉE

Comment ?

JEANNE

(ENTÊTÉE) Je te demande où est ta fille : Sophie ?

ANDRÉE

(AMUSÉE) On dirait toujours que tu tombes de la lune ! Sophie aura bientôt vingt ans !

JEANNE

Et alors ?

ANDRÉE

Et alors ? . . . elle vit avec un garçon ! C'est un étudiant . . . Sérieux . . . Beau . . . Il se nomme François . . . (UN TEMPS) Parle encore, Jeanne . . . de l'enfance !

JEANNE

Sur quel mode ?

ANDRÉE

Celui que tu voudras !

JEANNE

Je m'endors . . . Je crois que je vais partir maintenant . . .

176

ANDRÉE

(BOULEVERSÉE) Non ! Attends ! . . . Pas tout de suite ! . . .

C'est moi qui raconterai si tu ne veux plus . . .

(TON ÉVOCATEUR. COMME UNE INCANTATION)

Lorsque tu n'entrais plus dans tes robes, c'est moi qui les portais . . . Quand tu n'avais plus faim, je mangeais tes restes . . . Quand on te donnait raison contre moi, je trouvais que c'était justice . . .

J'ai vécu dans ton ombre . . . Je n'ai jamais eu de poupée à moi que celles dont tu avais déchiré les jupons et mutilé le visage . . . Je n'ai obtenu de faveurs que celles dont tu ne voulais pas . . .

J'ai vécu dans ton ombre, mais je t'admirais tant que je me croyais au contraire toute rayonnante, éclaboussée de ta lumière et la réfléchissant comme une eau limpide . . .

(UN TEMPS APRÈS QUOI ELLE REVIENT À ELLE)

Qu'es-tu allée faire dans cette forêt, Jeanne ?

BRUIT FRACASSANT, MAIS EN ÉCHO, D'UN ARBRE QUI S'ABAT DANS LES FEUILLES MORTES ; PUIS, LE SILENCE SE FAIT SUR LA RÉPLIQUE SUIVANTE :

JEANNE

L'amour . . . pour la dernière fois . . .

177

ANDRÉE

(TOUT BAS) Je ne crierai pas... Je ne crierai jamais plus... Repose-toi... Le papier d'Arménie s'est consumé... Dors, mon petit fantôme...

ON ENTEND DE NOUVEAU LE VIOLONCELLE QUI RESTE EN FOND SONORE PENDANT LE COUP DE TÉLÉPHONE SUIVANT.
SONNERIE. UN COUP.

ANDRÉE

(D'ABORD DISTRAITE, SA VOIX REVIENT RAPIDEMENT AU NATUREL) Oui?... Ah! c'est toi Sophie?
......
Calme-toi, ma petite fille et parle clairement! J'entends mal...
...... (UN TEMPS ASSEZ LONG)
Bon! et il fait des ravages?... Dis à François de le mettre à la porte?
......
C'est si grave que ça?
...... (ELLE ÉCLATE DE RIRE)
Eh bien! ma Sophie, c'est tout un chevalier que tu as là pour te défendre? Il se cache?... Beau comme un cœur! et peureux comme un lièvre!...
Passe-moi ton ivrogne de père!
...... (ELLE SUIT LA MÉLODIE EN LA FREDONNANT)
(ÉNERGIQUE) Allo? Laurent?... C'est quand même curieux cette manie de rappliquer toujours chez ta fille quand c'est à moi que tu veux parler! Qu'est-ce qui ne va pas encore?
......

178

Et tu leur fais la morale ! dans l'état où tu es ! . . .

Laurent, tu es ridicule ! Je vais consentir à te recevoir encore une fois, mais de grâce, laisse ces deux enfants tranquilles ! . . . As-tu ta voiture ?

. . . . . .

Prête-la à François pour quelques jours . . . en guise d'excuse ! et prends un taxi ! . . . Je te prépare du café . . . Et je te préviens : il n'y a pas une seule goutte d'alcool dans la maison !

. . .

Comment ? . . . Quelle clef ? . . .

. . .

Mais ça ne va pas du tout, mon ami ! Tu perds la mémoire ? ou la raison ? . . . Quand une femme se retrouve seule chez elle, le premier homme qu'elle appelle à son secours . . . c'est un serrurier ! . . . Tu pourras quand même lever le bras jusqu'à la sonnette ?

. . .

(LASSE) Mais oui . . . oui . . . je t'ouvrirai !

ELLE RACCROCHE. BRUITS DE FEUILLETS QU'ON DÉPLACE ET FROISSE.

ANDRÉE

Mes paperasses ! . . . Elle a dit : « Soulève tes paperasses ! »

LE VIOLONCELLE SE TAIT.

ANDRÉE

Écrire ! . . . Écrire jusqu'à ne plus savoir

parler !

BRUIT D'UNE FENÊTRE QU'ON OU-
VRE. ALAIN FAIT IRRUPTION DANS
LA PIÈCE.

ALAIN
(CÉRÉMONIEUX. VOIX ÉLOIGNÉE)
Mes hommages, Madame !

ANDRÉE
Alain ! tu m'as encore effrayée ! Quand
donc vas-tu cesser d'entrer chez moi
par la fenêtre, comme un cambrioleur !

ALAIN
(VOIX RAPPROCHÉE. CÂLIN) Est-ce
ma faute si ta fenêtre est le point de
chute de mon escalier de sauvetage ?
Est-ce ma faute si je suis un « clandes-
tin » de nature ... et par ta volonté ! ...

ANDRÉE
Bouffon ! Tu vas être en retard au
théâtre ! File !

ALAIN
Et qu'est-ce que j'irai faire dans la fosse
un soir de relâche, dis-moi ? ... de
re-lâ-che ?

ANDRÉE
(FROISSANT DU PAPIER. DISTRAITE)

180

C'est pourtant vrai ...

ALAIN

Que fais-tu ?

ANDRÉE

Bien ... tu vois ... j'écris ... (RIEUSE)
ou si tu préfères : je cherche une aiguille
dans un tas de foin !

ALAIN

Quelle aiguille ?

ANDRÉE

(ENJOUÉE SUBITEMENT) Bonsoir,
cher musicien !

ALAIN

Bonsoir, cher écrivain !

ANDRÉE

C'était très beau ce que tu jouais tout
à l'heure, mais je suis frileuse comme
un oisillon ... Ce printemps-là pour moi
c'est encore l'hiver !

ALAIN

Ne cherche pas d'excuses pour te cloî-
trer ... Je joue comme un cochon !

ANDRÉE

Tu veux des compliments ?

181

ALAIN

Un minable petit violoncelliste raté ! voilà
ce que je suis ! Un rond-de-cuir musical !
Et tu es bien bonne de m'endurer là-
haut/

ANDRÉE

Ah non ! Alain ! pas ce couplet-là ce
soir !... (UN TEMPS)
Sais-tu l'impression que j'ai quelquefois
au concert ?... L'impression d'être assise au milieu d'une forêt ... enchantée ...
Tu n'es qu'un arbre de cette forêt, bien
entendu, mais le plus beau, le plus précieux, celui dont la chanson m'est des-
tinée/

ALAIN

Alors, c'est le couplet romantique ?...
La musique du vent dans les feuilles ?...
Eh bien ! je vais te répondre dans la
même tonalité : je ne me consolerai jamais de n'être pas l'arbre unique au
milieu de ta forêt ... celui dont l'essence
est si rare que le vide se fait tout autour
afin qu'il croisse mieux... (S'ATTRIS-
TANT) ... qu'il ait plus d'importance ...
qu'il crève les yeux !

ANDRÉE

(TRÈS TENDRE) Tais-toi ! tu ne sais
pas ce que tu dis ! C'est toujours à
l'arbre isolé que s'attaque d'abord le
bûcheron ... Quand la foudre éclate,
c'est toujours un arbre sans défense
qu'elle a pour cible ... Je te préfère

multiple et protégé! entouré de tes pareils... Un violoncelle parmi les autres!... à la fois semblable et différent... (HÉSITANTE) comme un beau synonyme!

ALAIN

Voilà encore l'écrivain qui jongle avec les mots! C'est donc ce que je suis pour toi : un synonyme? Autant dire : un remplaçant?... Je remplace quoi, qui?... Tu m'as bien choisi au moins?

ANDRÉE

(AMUSÉE) Parlons-nous de musique en ce moment, Monsieur? ou bien d'amour?

ALAIN

(GENTIL. CÂLIN) Tu le sais bien, Andrée...

ANDRÉE

Je m'en doute!... et pour te punir de parler d'amour devant une « vieille dame » qui déraisonne, je vais te prier de partir.

ALAIN

(VOIX S'ÉLOIGNANT) Ça sent le papier d'Arménie!

ANDRÉE

C'en est!

ALAIN

Où te procures-tu une pareille antiquité ?
Je n'en ai pas respiré depuis cent ans !
Ma mère/

ANDRÉE

Tu n'aimes pas ce parfum ?

ALAIN

À vrai dire, je préfère celui des roses
que j'ai oubliées là-haut !

BRUITS DE BOUTEILLES QU'ON DÉ-
PLACE.

ALAIN

Je m'en vais les chercher ! . . . Je reviens
tout de suite . . . Tu as du champagne ?
J'ai terriblement envie de célébrer quelque chose !

ANDRÉE

(VOIX ÉLOIGNÉE) Alors, nous lèverons
nos verres aux dix années qui nous
séparent ! . . . (SE RAPPROCHANT)
mais une autre fois ! . . . (SÉRIEUSE.
LE RAPPELANT) Alain ?

ALAIN

Oui ? « vieille dame » ?

ANDRÉE

(DÉSOLÉE) Pas ce soir, Alain ! J'étais

184

sérieuse tout à l'heure en te chassant . . .
J'attends quelqu'un !

ALAIN

(DÉPITÉ) Ah bon ! . . . bon ! . . . bon ! . . .
Le champagne, ce n'est pas pour moi !
Bon ! . . . je m'efface . . .

ANDRÉE

Quel enfant tu fais ! . . . Pour ce qui est
du champagne . . . (RIEUSE) j'en man-
que aujourd'hui ! et ces bouteilles . . .
« moins nobles », je m'en vais les cacher,
figure-toi ! . . . J'attends Laurent qui est
déjà ivre-mort chez ma fille.

ALAIN

Je ne te comprends pas, Andrée . . .
Tu es divorcée ou non ? tu es libre
ou non ?

ANDRÉE

Je ne suis ni libre ni divorcée lorsque
Laurent a besoin de moi !

SONNERIE DE LA PORTE D'ENTRÉE.
(ÉLOIGNÉE)

ANDRÉE

Mon Dieu ! je n'ai même pas eu le temps
de faire du café ! Va-t-en, s'il te plaît !

ALAIN

Très bien . . . mais je t'avertis : de là-haut,
je collerai mon oreille au plancher !

ANDRÉE

(SUPPLIANTE) Alain ! je te verrai plus
tard ! . . . ce soir peut-être . . . si tu n'es
pas endormi . . . Pars ! et referme cette
fenêtre, j'ai froid !

BROUHAHA À LA PORTE.

ANDRÉE

(AU LOIN) Il est arrivé quelque chose ?

SOPHIE

(AU LOIN) Mais non . . . Tiens : prends
mon cartable . . . Je m'occupe du reste . . .

LES VOIX REVIENNENT PRÈS DU
MICRO.

ANDRÉE

Enfin, Sophie ! vas-tu me dire ce qui se
passe ? Ton père, où est-il ? c'est lui
que j'attendais !
Sophie, explique-toi !

SOPHIE

Arrête de t'énerver comme ça ! . . . Il est
là . . . dans l'auto ! Ouf ! ce qu'on est bien
chez toi ! Tu fais encore du feu en avril ?

186

FACULTATIF : SOPHIE REMUE LES BÛCHES DANS LA CHEMINÉE.

SOPHIE

Maman ? . . . si j'avais un conseil à te donner . . . (MOQUEUSE) - pour employer une formule qui te fut chère autrefois ! - je te dirais de venir t'asseoir près de moi . . . Il dort comme une bûche sur la banquette arrière . . . Tu n'arriveras jamais à le sortir de là toute seule . . . François a eu toutes les misères du monde à l'y faire entrer ! et à le couvrir de la peau d'ours . . . qui lui va d'ailleurs très bien . . . comme tu sais ! Un fameux cadeau qu'elle lui avait fait, tante Jeanne ! il ne s'en est jamais séparé !

ANDRÉE

Et François lui, où est-il ?

SOPHIE

J'ai mon permis de conduire, non ? . . . François . . . il étudie ! Enfin . . . il essaie !

ANDRÉE

(NERVEUSE) Je vais tout de même laisser la porte entrouverte . . . au cas . . .

SOPHIE

Reste ici ! j'y ai pensé avant toi . . . même que je l'ai laissée toute grande ouverte, la porte ! pour qu'il en ait large . . . parce que si, « par hasard », il se réveille, et

187

si, « par hasard », il reconnaît le per-
ron . . . c'est probablement à quatre
pattes que tu vas le voir entrer . . . Allons,
maman ! viens t'asseoir !

ANDRÉE
(SE RAPPROCHANT) Pourquoi est-ce
donc toujours dans l'alcool que les hommes se réfugient à la moindre contrariété ? ! . . . Laurent n'avait pourtant pas
l'habitude !

SOPHIE
Tu appelles ça des contrariétés ?

ANDRÉE
Mais . . . de quels ennuis parles-tu ?

SOPHIE
Maman, tu es bien belle ! . . . Je t'admire ! . . . Pas seulement pour ça . . . pour
bien d'autres raisons !

ANDRÉE
Eh bien ! ce n'est pas réciproque !

SOPHIE
Mais oui . . . (ENJÔLEUSE) C'est réciproque !
Au fond, tu trouves ça charmant mes
allures de garçon manqué . . . et de fille
mal élevée ! . . . Si tu étais de bonne
humeur, tu me dirais que je te rappelle

188

tante Jeanne quand elle avait mon
âge !...

                ANDRÉE

C'est vrai... À force de la prendre pour
ta mère, tu as fini par lui ressembler
bien plus qu'à moi !... Cette façon de
t'asseoir en ne sachant jamais quoi faire
de tes jambes !

                SOPHIE

Maman... Pourquoi ne s'est-elle jamais
mariée ?/

                ANDRÉE

(SE RAPPELLE LAURENT) Tout de
même... dormir dans la voiture !... Tu
ne crois pas qu'à deux... nous pour-
rions ?

                SOPHIE

(BUTÉE) Il pèse une tonne !... Laisse-
le donc cuver son vin tranquille !... Je
suis fatiguée, moi !... Tiens : ton cartable...

                ANDRÉE

Merci, tu es gentille.

                SOPHIE

Ouvre-le ! Tu vas voir que je n'ai pas
chômé aujourd'hui !... Trente pages au
propre !...
Au fait : n'oublie pas mes « honorai-

res » ? . . . Je ne vis pas de l'air du temps, moi ! . . . Je n'ai pas de « pension alimentaire », moi ! . . .

ANDRÉE

On peut même dire que c'est plutôt toi qui apportes l'eau au moulin !

SOPHIE

Ça me regarde : c'est « mon moulin » !

ANDRÉE

En effet, ma fille, ça te regarde ! et ce n'est pas moi qui vais te faire la leçon, tu penses ! . . . Je ne suis pas suffisamment experte dans l'art de vivre . . . (COMME POUR ELLE-MÊME) bien que j'aie trouvé quelques petites solutions personnelles au « problème » de vivre . . . (À SOPHIE) Des traditions, des lois, des tabous, moi aussi j'en ai mis bon nombre au rancart ! et je ne discuterai pas ton droit d'en faire autant . . . Si tu crois qu'il est préférable, et plus « honorable », de faire vivre un homme plutôt que de vivre à ses crochets . . . à ton aise ! . . . Moi, ça ne me dérange pas du tout . . . Seulement, tu comprendras que ça m'irrite un peu . . . quelquefois !

SOPHIE

Pourquoi ?

ANDRÉE

Regarde-toi, ma pauvre !

190

SOPHIE

Quoi ? Ah ? c'est ça ? . . . Mon accoutre-
ment ? Mon vieux tricot bleu, mes jeans
délavés, mes savates ? (MONDAINE)
Eh bien, le soir, Madame ! je porte de
très jolies choses ! tout en dentelles ! . . .
Je suis couverte de fanfreluches et de
verroteries . . . Seulement . . . vers mi-
nuit . . . (MYSTÉRIEUSE) J'enlève
tout ! . . . (PLUS PRÈS DE SA MÈRE,
CHUCHOTANT) Je suis encore bien
plus belle . . . toute nue !

ANDRÉE

(INQUIÈTE) Que fais-tu le soir, Sophie ?

SOPHIE

(DÉCOURAGÉE) Pour ça aussi, vois-tu,
je t'admire ! . . . Cette candeur ! Cette
incroyable naïveté ! . . . Tu te souviens
de moi quand j'ai tapé tes brouillons à
la machine . . . Au fait : il faut qu'on en
parle justement, de ces brouillons ! Si
tu ne soignes pas un peu ton écriture,
bientôt je ne pourrai plus rien déchif-
frer ! . . . Sors les feuilles : je vais te
donner des exemples ! . . . On dirait
qu'il y a des mots que ta main refuse
de tracer comme ta bouche refuse de
les dire . . . (ENCHAÎNANT) En tout cas,
pour en finir avec mon propos : t'ima-
gines-tu que nous mangeons, François
et moi, avec les quelques billets que
tu me donnes pour copier tes folies ?

ANDRÉE

Mais de quoi vivez-vous ? Tu ne vas

191

tout de même pas m'annoncer que tu fais le trottoir ? /

SOPHIE

Pour papa, c'est la même chose ! Tu restes des mois sans t'informer de lui . . . exactement comme s'il était mort ! et . . . tout d'un coup, quand je suis bien obligée de te rappeler qu'il existe, - et ça ! pour exister ! je te jure que j'en ai eu la preuve aujourd'hui ! - toi, tu prends ton air angélique et ta voix « nébuleuse » pour me demander ce qu'il a comme emmerdements ! (S'ÉNERVANT) Eh bien ! je vais te faire un résumé ! Si ta solution « personnelle », comme tu dis ! c'est de faire l'autruche, moi, j'en ai marre d'être la confidente d'un « démon de midi » (HAUSSANT LE TON) . . . éclopé ! pourri de dettes ! . . . J'en ai marre ! . . . marre ! . . . marre ! . . . Les maîtresses qui foutent le camp l'une après l'autre ! en raflant les meubles ! . . . Le proprio qui ne veut pas renouveler le bail . . . Les mauvais placements à la Bourse . . . Le confrère qui prend sa place à la banque ! . . . Maudite banque ! . . . comment veux-tu qu'un homme ne devienne pas enragé de travailler dans une banque ? de gravir des échelons à longueur de jour et d'année ?

IL FAUDRA COMPRENDRE QUE SOPHIE SE PROMENAIT DE LONG EN LARGE PENDANT SA TIRADE. ELLE EST MAINTENANT PRÈS DU SECRÉTAIRE D'ANDRÉE. PAPIERS FROISSÉS.

SOPHIE

Foutaise de paperasses !... À quoi ça
rime tout ce papier noirci ? Tu veux publier tes mémoires ?... Eh bien ! moi,
ta première lectrice, (IRONIQUEMENT)
ta « précieuse collaboratrice ! »... je te
dis que ça ne vaut rien !
(UN TEMPS. SURPRISE. UN PEU RA-
DOUCIE :) Maman ? qu'est-ce que tu
fais ?

ANDRÉE

Tu vois : je prends mon châle et je m'en
recouvre la tête.
(VOIX FEUTRÉE PAR LA LAINE) Je
fais l'autruche, ma chérie !

SOPHIE

(PRÈS DE SA MÈRE. TENDRE) Enlève
ça... pardonne-moi...

ANDRÉE

J'ai perdu l'habitude des scènes et des
cris, ma petite fille !... Tout ce papier
noirci, vois-tu, il est muet... et ne fait
de mal à personne...

SOPHIE

(DÉSOLÉE. AU BORD DES LARMES)
Pardonne-moi... Je suis morte de fa-
tigue... À bout de nerfs... Je suis inquiète aussi... Je crois que papa est
malade...

ANDRÉE

Malade ?

SOPHIE

(ELLE PLEURE) Il avait rendez-vous
avec son médecin aujourd'hui ... C'est
pour me faire part du résultat qu'il voulait me voir ... (RENIFLANT) Joli, le
résultat : il s'est mis à nous faire la
morale et à tout casser ... Après, il a
essayé de parler politique avec François ... Il voulait l'enrôler dans je ne sais
plus quel parti ! ... Mais François, ça ne
l'intéresse pas, la politique ! Il dit que
c'est une utopie ! et qu'il ne veut pas
gaspiller sa jeunesse à croire en quelque chose qu'il reniera dans dix ans !
à travailler dans l'idéal pour finalement
fléchir au premier pot-de-vin ! ... Avant
de s'enfermer dans la cuisine, il a crié
à papa : (HAUSSANT LE TON) « Fichez-
moi la paix ! La politique et tous vos
discours, c'est de la merde ! »
(CRIANT) Il avait raison !

ANDRÉE

(CALME) Chacun a raison pour soi,
Sophie ... Il y a deux autres petites
réponses que j'ai trouvées à la question
de vivre, deux réponses toutes simples
qui se cachent dans deux mots : sincérité et tolérance ! ... Tu commences
par te dire la vérité à toi-même ... « ta
vérité » ! et après, tu tolères que les
autres en fassent autant, même si tu
n'es pas d'accord ... En politique comme
dans tout le reste !

194

SOPHIE

(SOUPIRANT) Ah non ! Un sermon toi aussi ? C'est le bouquet de la journée !

ANDRÉE

Ma belle Sophie ! c'est un peu ridicule, je sais !... Je voulais simplement t'expliquer pourquoi je suis sereine et comment j'espère vieillir... Je ne dis pas que ma recette est la bonne pour toi et je ne te l'impose surtout pas/

SOPHIE

(SE MOUCHANT BRUYAMMENT) Je sais bien... tu ne donnes plus de conseils qu'avec des gants blancs !... En tout cas, pour la recette, on peut dire qu'elle te réussit... Encore tout à l'heure, François me rebattait les oreilles avec ton calme « olympien » et ta belle philosophie... Tout ça parce que j'avais un peu hurlé !... Il y avait de quoi, non ?

ANDRÉE

Mais oui... il y a toujours de quoi hurler... Seulement, si on ne se retenait pas de temps à autre, on aurait bientôt plus de cordes vocales !... Allons !... Viens t'asseoir et calme-toi... Pour ce qui est de ton père, cesse de t'inquiéter. Tu sais bien que depuis (ELLE SE TROUBLE UN INSTANT)... l'accident... il a toujours paniqué à l'idée d'une radiographie !... Je l'ai vu blême comme un drap, ce colosse, à la seule

vue d'une seringue . . . à la seule pensée
d'une piqûre . . .

SOPHIE

(SPONTANÉMENT) François est comme
ça lui aussi ! À la clinique de l'Université,
quand on a donné du sang . . . Tu ne
me croiras pas . . . il s'est évanoui !

ELLES RIENT ET SE DÉTENDENT.

SOPHIE

Écoute, maman . . . au sujet de papa . . .
C'est toujours sa colonne vertébrale qui
le fait souffrir . . . Il dit qu'une sale mala-
die est en train de s'installer là-dedans.

ANDRÉE

Veux-tu mon avis ? Ton père, c'est surtout dans son orgueil qu'il souffre . . .
parce qu'il est obligé de marcher avec
une canne !

SOPHIE

(S'ESCLAFFANT) Tu n'es pas sérieuse !

ANDRÉE

Mais si ! je suis sérieuse ! Je ne vais
pas tomber dans ce panneau-là, Sophie ! . . . Quand ton père sera vraiment
malade, je le saurai !

SOPHIE

Tout de même . . . tu l'interrogeras ?

ANDRÉE

Bien sûr... En attendant, si tu allais nous faire un peu de café pendant que je consulte « nos paperasses »...

SOPHIE

Bonne idée! (EN S'ÉLOIGNANT)

ANDRÉE

Sophie? va jeter un coup d'œil à la voiture, tu veux bien?

SOPHIE

(AU LOIN) Ah! la la!

À L'ÉTAGE AU-DESSUS, ALAIN RECOMMENCE À JOUER DU VIOLONCELLE.
BRUITAGE : TISONNIER AGITANT LES BÛCHES, CRÉPITEMENT DU FEU QUI REPREND, PUIS FEUILLETS QU'ON CLASSE... AU BOUT D'UN MOMENT CONVENABLE, SOPHIE REVIENT AVEC LE CAFÉ : LÉGER BRUIT DE TASSES.

SOPHIE

Tiens! c'est de l'« instant »... Ton filtre et moi on ne s'entend pas du tout!

ANDRÉE

Pose le plateau ici, sur la table. Merci.

197

SOPHIE

Tu l'entends toujours aussi clairement,
cette musique?... C'est joli ce qu'il
joue...

ANDRÉE

Oui... (DISTRAITE) oui, oui... c'est
joli...

SOPHIE

Ah bon! tu relis?... Maman... je ne
copie pas comme un robot... tu comprends? (EMBARRASSÉE) et... il y a
des choses... enfin des mots... Montre tes brouillons... (UN TEMPS)
Tiens... regarde... ici... ce mot-là:
tu l'as biffé quatre fois... « amour »...
« haine »... « tendresse »... « ami-
tié »... Après tu as laissé un espace
blanc... C'est de Jeanne que tu parles
à ce moment-là... Relis la phrase...

ANDRÉE

(MI-VOIX. ÉMUE) « Je n'ai jamais su
ce que j'éprouvais pour ma sœur...
Je n'ai jamais pu appeler par son nom
le sentiment qu'elle m'inspirait...
« amour »...
(NATURELLE. À SOPHIE) Pourquoi es-
tu étonnée? Toi, tu t'y retrouves toujours
dans tes sentiments? C'est toujours
lumineux, tranché? pas de nuances?
ni la moindre variation d'un jour à l'autre?

SOPHIE

Pour dire vrai... il y a des jours où

j'ai bien envie de fusiller François... ou de le planter là avec ses lunettes sur le nez... et le nez dans ses bouquins ! mais ça ne change rien à l'affaire ! Je l'aime... Ce que j'éprouve pour lui s'appelle «amour»... Ça ne porte jamais d'autres noms !

ANDRÉE

Et en dehors de François?... Ce que tu ressens pour d'autres personnes? tes amis? Laurent? moi? ça porte toujours aussi le même nom?

SOPHIE

Oui...

ANDRÉE

Ça variera, ma petite fille... Le temps nous transforme comme il transforme les arbres !

BRUITS DES TASSES. LE VIOLON-CELLE JOUE TOUJOURS JUSQU'À INDICATION CONTRAIRE.

SOPHIE

Je ne veux pas.

ANDRÉE

Ta volonté n'y pourra rien !... (ELLE BOIT) Il faudrait pourtant que tu apprennes à faire un filtre !

SOPHIE

Tu sais, maman, ce n'est pas toujours une corvée de taper tes brouillons... J'ai quelquefois l'impression que tu me parles...

ANDRÉE

(IRONIQUE) Alors, je peux continuer d'écrire?... même si tout cela ne vaut rien?

SOPHIE

Tu es fâchée!

ANDRÉE

Rassure-toi, de toute façon : je n'ai pas l'intention de publier quoi que ce soit... C'est pour moi que j'écris... et peut-être un peu pour toi!... Quand j'aurai tout dit et trouvé tous les mots possibles, nous brûlerons ces feuilles... ensemble! Tiens, veux-tu que nous commencions maintenant? Le feu est si beau!

SOPHIE

(AFFOLÉE) Non! (PRÈS DE SA MÈRE) Maman, je voudrais savoir... Est-ce parce que Jeanne est morte que tu as voulu divorcer?... Enfin... parce qu'elle est morte en forêt... dans les bras de ton mari?... j'étais trop jeune... je n'ai rien compris... Explique-moi... (UN TEMPS) Maman, j'ai parfois l'impression que Jeanne est toujours vivante... Elle est là... Tu sais... ça ressemble à des apparitions !... Je marche dans la rue en ruminant mes petites histoires et puis, tout à coup, je pense à elle... sans raison précise... Automatiquement, elle est présente... Devant moi, à la place d'un mannequin dans une vitrine, ou bien à mes côtés, à la place d'une passante que je ne connais pas...

ANDRÉE

(TROUBLÉE) Ah oui ? c'est curieux... et puis, peut-être pas tellement après tout !... Je pense que les êtres qu'on aime ne meurent jamais... C'est notre cœur qui les garde vivants et réinvente le son de leur voix... leur démarche... la couleur de leurs yeux et de leurs cheveux... C'est notre cœur qui revoit tout... et qui entend...
(POUR ELLE-MÊME) Le cœur qui évoque... et la mémoire qui trahit souvent... Il arrive que nous soyons prisonniers de certains souvenirs ; nous mettons tant de soin à les cultiver qu'ils finissent par fleurir bien plus beaux qu'ils n'avaient promis... (REVENANT À SOPHIE) La mémoire est une vraie magicienne... mais une magicienne farfelue qui jongle tout de travers avec les événements... Ce n'est pas sa faute : entre le réel et l'imaginaire, elle ne fait pas la différence ! Le temps d'un battement de cils, elle a disposé le monde autrement qu'il paraît... Il suffit d'une pensée pour démolir un gratte-ciel... pour planter toute une forêt au milieu

d'un salon... Un déclic... Une petite
seconde... La seconde qu'il faut pour
naître et pour mourir.

SOPHIE

Ce n'est pas juste, maman! J'ai beau
la voir partout, je sais bien que Jeanne
dort à six pieds sous terre!

ANDRÉE

N'écoute pas ta raison...

SOPHIE

Quand j'étais petite, il m'arrivait de ne
plus savoir laquelle de vous était ma
mère... même qu'à l'école, je me van-
tais d'en avoir deux!... Ça m'était bien
égal qu'on se moque de moi! Je me
disais que j'étais chanceuse et que les
autres filles crevaient de jalousie...
C'est pour ça qu'elles riaient... Mais
moi j'étais certaine que ça ne changerait jamais... J'imaginais que nous
serions toujours ensemble... tous les
quatre... (AU BORD DES LARMES)
à nous aimer!... Heureux!... C'est
pas juste!

ANDRÉE

(TRÈS ÉMUE) Là... là... ma petite
soie... ce que tu es nerveuse... Écoute ce passage... comme c'est doux...
(SURSAUTANT) Mon Dieu! nous sommes en train d'oublier Laurent! Es-tu
allée voir tout à l'heure?

SOPHIE
Non.

ANDRÉE
Vas-y !

SOPHIE
Pas tout de suite ... On est si bien toutes les deux ! Je t'assure qu'il dort ... Tu n'imagines pas à quel point il a bu ! ... Écoute ... Il s'appelle comment, ton musicien là-haut ? ... Si seulement c'était un peu plus ... un peu moins ... « classique » ... (ELLE FAIT CLAQUER SES DOIGTS COMME POUR ENCOURAGER LE VIOLONCELLE À FAIRE COMME ELLE VEUT)
Oui ... oui ... ce serait une fameuse idée ! ... Un violoncelle ! ... Comme une voix qui me répondrait ! ... Comme un duo ... L'Homme et la Femme ... Il est vraiment doué ... Quand vas-tu te décider à me le présenter, maman ?

ANDRÉE
Un violoncelle ... pourquoi, Sophie ?

SOPHIE
(DANS UN ÉCLAT DE RIRE) Pour m'accompagner ! ... quand je gagne ma vie ! ... Regarde ce que je fais le soir, maman ! Je n'ai pas mes dentelles ... mais je vais essayer de réussir ma petite démonstration quand même ... pour toi toute seule ! ...

L'AUTEUR LAISSE ICI AU RÉALISA-
TEUR LE SOIN DE RELEVER LE
DÉFI DU STRIP-TEASE RADIOPHO-
NIQUE ! ET SE CONTENTE DE SUGGÉ-
RER :
A) QUE CELA SOIT CLAIR ET COURT
B) QUE LA MUSIQUE PASSE INSEN-
SIBLEMENT DU « ROMANTIQUE » AU
« LANGOUREUX »
C) QUE SOIT ÉTUDIÉE LA POSSIBILI-
TÉ DE FAIRE LA TRANSITION MUSI-
CALE AU MOYEN D'UNE CHANSON
SUR LE SUJET « EFFEUILLEUSE » . . .
CETTE CHANSON EXISTE PEUT-
ÊTRE DANS LE RÉPERTOIRE DE
GRÉCO . . .

QUAND CELA « SUFFIT », ON ENTEND
UN VAGUE REMUE-MÉNAGE ET
QUELQUES GROGNEMENTS ININ-
TELLIGIBLES ÉLOIGNÉS DU MICRO.
C'EST LAURENT, ÉMÉCHÉ, QUI EN-
TRE . . . PUIS :

LAURENT
(VOIX PÂTEUSE ET INDIGNÉE) Sophie !

SUR CE, LA MUSIQUE REDEVIENT
CELLE D'ALAIN EN FADE-IN, PUIS
FADE-OUT, POUR LE DÉBUT DE LA
DEUXIÈME PARTIE.

*   *   *

DEUXIÈME PARTIE

ON COMPRENDRA DÈS LES PREMIÈ-
RES RÉPLIQUES QUE LA SCÈNE SE
PASSE LE LENDEMAIN MATIN.

ANDRÉE
Bonjour Sophie! Déjà debout?... Tu
aurais bien pu dormir encore un peu.

SOPHIE
(S'ÉTIRANT ET BÂILLANT) Tu parles
d'une corrida!... C'est dommage qu'on
n'ait pas eu de public!
(LÉGER TINTEMENT DE TASSES.)

ANDRÉE
Dis plutôt que c'est une chance! Ton
père vidait la salle d'un seul hurlement!

205

SOPHIE

Fameux ton filtre ; merci ! (ELLE COM-
MENCE À RIRE) Oh ! maman ! c'est
quand il a voulu m'attraper et qu'il s'est
« barré » les deux jambes dans sa
canne ! Là... (ANDRÉE SE MET À
RIRE AUSSI)... Lui... à plat ventre !
sous sa peau d'ours ! et moi... à quatre
pattes qui cherchais mon chandail...
les seins comme deux pigeons effarou-
chés ! (ELLE POUFFE ENCORE)

ANDRÉE

(ESSAYANT D'ÊTRE SÉRIEUSE) Arrête, Sophie !... Il y a eu des moments
du plus haut comique... mais pas celui-
là !

SOPHIE

Quoi... nous l'avons relevé ?... Même
que ça l'a dégrisé suffisamment, sa pi-
rouette, pour qu'il se laisse conduire
dans ton lit... (ELLE RECOMMENCE
À RIRE) Mais moi, le moment que j'ai le
mieux aimé... que j'ai trouvé le plus
drôle... c'est juste un peu avant qu'il
n'arrive !... quand tu as eu l'air de comprendre !... (RIRE) Si tu t'étais vue,
pauvre chou !... figée dans ton fauteuil... la bouche ouverte... les yeux
grands comme deux lacs !... C'était
crevant !

ANDRÉE

Tu trouves ?... Écoute, Sophie, j'ai
envie de rire moi aussi ce matin, mais

c'est nerveux ... J'avais oublié ce que c'est que de dormir sur un divan après une scène de ménage!... Mes «yeux comme deux lacs» ... je ne les ai pas fermés de la nuit! et je t'assure que tu aurais pu y pêcher toutes sortes de poissons!

SOPHIE

Chère Andrée! tu rédiges le prochain chapitre?... Je t'ai aidée pour la comparaison, mais j'avoue que tu m'épates en la développant ... (MOQUEUSE) Cependant, il faudrait travailler encore le style ... et le vocabulaire! Que dirais-tu, par exemple, de l'expression «faune aquatique» au lieu de «toutes sortes de poissons»?

ANDRÉE

(NE POUVANT S'EMPÊCHER DE RIRE) Sophie! tu es décourageante!... Soyons sérieuses ... Dis-moi ...
Tiens, ton soutien-gorge! Attrape! (IRO-NIQUE) «effeuilleuse»!... Pendant que j'y pense: François a téléphoné/

SOPHIE

(BONDISSANT) Tu ne m'as pas appelée?

ANDRÉE

(DISTRAITE ET TRÈS CALME) Il n'avait pas le temps!

207

SOPHIE
(ANXIEUSE) Et puis ?

ANDRÉE
Et puis ? . . . (VOIX SÈCHE ET NEUTRE)
Les ordres sont les suivants : *primo*, tu
passes chez le teinturier chercher le
complet de « monsieur » ; *secundo,* tu
achètes un poulet pour ce soir ; *tertio*,
tu rentres chez toi pour le faire cuire et
pour attendre « monsieur » qui, lui, ren-
trera de son cours vers seize heures . . .
si ma mémoire est bonne !

SOPHIE
Il n'a pas parlé sur ce ton-là !

ANDRÉE
Non ! mais je traduis . . . sans mes gants
blancs ! . . . Sophie, dis-moi/

SOPHIE
AGACÉE) Tu veux savoir si ce métier,
je le fais pour de vrai ! . . . Eh bien ! avant
que l'ours polaire ne glisse de sa ban-
quise pour venir t'informer, je te ré-
ponds : oui ! . . . presque tous les soirs . . .
On alterne, Lulu et moi, on se partage
la « besogne » . . . et dans les cas de
force majeure, comme hier soir, on se
rend service ! mais ce serait trop long à
t'expliquer . . . Tu veux savoir aussi pourquoi je le fais, ce métier ! La réponse :
parce qu'après avoir lavé la vaisselle
dans des caveaux puants . . . travaillé

208

chez un « grand couturier » où je drapais du shantung sur des rombières de mon c . . ./

ANDRÉE

Sophie !

SOPHIE

Bref . . . je ne gagnais pas ma croûte !

ANDRÉE

Ni celle de François !

SOPHIE

« Mon moulin », Andrée ! n'y touche pas ! . . . il tourne à merveille ! . . . (UN TEMPS) C'est une copine . . . Lulu ! . . . enfin, c'est elle qui m'a « déniaisée » . . . raisonnée, si tu préfères . . . Je gagne dix fois plus en travaillant dix fois moins ! . . . As-tu d'autres questions ?

ANDRÉE

Oui . . . deux ! D'abord : François est-il au courant ?

SOPHIE

(POUFFANT) Ma parole ! tu vis sur une autre planète ? François vient me chercher tous les soirs ! C'est même le seul moment de la journée où il consent à quitter ses livres pour siroter un gin au bar, en me faisant des clins d'œil !/

209

ANDRÉE

Et ça ne le gêne pas?... de te voir ainsi... toute nue devant tous ces hommes?

SOPHIE

Pourquoi ça le « gênerait » ? du moment que personne ne me touche?... (CO- QUETTE) C'est au contraire assez flat- teur pour un garçon d'afficher une fem- me aussi belle que moi!... et fidèle en plus!

ANDRÉE

Mais... tu n'es pas sa femme!

SOPHIE

Je suis la femme de qui, alors? Tu en es encore au contrat... mariage et com- pagnie?... et tu prétends t'être libérée des conventions? Ah! je te jure, il y a de quoi se tordre dans cette maison de- puis hier!

ANDRÉE

Et ton père, comment a-t-il su?

SOPHIE

(ÉBERLUÉE) Ça alors!... c'est « Mars » ou « Vénus », ta planète? ... Maman... réfléchis un peu! Crois-tu que notre « fervent public » (AVEC EMPHASE) est uniquement composé de célibataires dans la vingtaine pour qui le corps d'une

femme n'a pas encore de formes ? et qui viennent chercher, dans la pénombre et l'anonymat, quelques précisions sur l'anatomie du sexe faible ? . . .
Le plus ridicule . . . Tiens ! c'est à mon tour de questionner . . . Je voudrais bien savoir comment il se fait qu'un homme mûr reconnaissant sa fille dans la strip-teaseuse qu'il convoitait deux minutes avant, devienne fou furieux ? surtout quand il est justement attablé avec une jouvencelle qu'il ramènera chez lui et dont le père est en train de faire la même chose . . . ailleurs ! . . . Tu sais l'âge qu'elles ont, les filles que Laurent installe dans sa garçonnière ?

ANDRÉE
(SCANDALISÉE) Sophie ! tu ne vas pas me dire que ton père . . ./

ON ENTEND QUELQUES PHRASES AU VIOLONCELLE.

SOPHIE
Je dirai tout ce que tes pudiques oreilles (HAUSSANT LE TON COMME POUR S'ADRESSER À ALAIN . . . QUI CESSE DE JOUER)
et celles de ton violoncelliste pourront supporter . . .
La boîte où je travaille, elle exploite ces vieux cons-là ! . . .

ANDRÉE
Inutile d'apostropher le plafond ! Alain

n'a que trente ans.

SOPHIE
(ÉTONNÉE. INTÉRESSÉE. INSINUAN-
TE) Ah oui ? . . . Je croyais . . . Vu que . . .
Alors, il s'appelle Alain ?

ANDRÉE
Bon ! ça suffit, ma fille, va t'habiller !

SOPHIE
Non ! ça ne suffit pas ! La vie n'oscille
pas comme un pendule entre (SE MO-
QUANT DE CE QUE SA MÈRE A DIT
LA VEILLE) . . .
la sincérité et la tolérance ! . . . La scène
que tu as subie hier soir, c'est rien !
Pour la sincérité, ça pouvait toujours
aller, mais pour la tolérance . . . on a
vu mieux ! ou pire ! . . . Tu n'étais pas
là, toi, vendredi dernier quand ton Laurent a soudain émergé des vapeurs de
l'alcool pour venir me battre à coups
de canne, sous les projecteurs, devant
tout le monde !

ANDRÉE
Tu l'avais bien mérité !

SOPHIE
Non ! . . . mais ce que j'ai mérité ce soir-
là, c'est mon augmentation de salaire !
(IMITANT SON PATRON) « Parfait, ma
chouette ! très réussi, ton numéro ! »

Ainsi parla mon « manager » en ajou-
tant : « Si ton père venait plus souvent
faire un tour ? . . . la clientèle adore ça,
ces trucs-là ! » Tu parles ! . . . le genre de
bouge où les batailles sont organisées . . .
juste pour le frisson !

ANDRÉE

(POUFFANT) Excuse-moi, c'est plus fort
que moi . . . les nerfs . . .

ALAIN COMMENCE DE JOUER JUS-
QU'À INDICATION CONTRAIRE.

SOPHIE

Tiens ! Ça va nous calmer . . . J'aime
ça moi, ce petit accompagnement con-
tinuel . . . en sourdine . . . Maman, pré-
sente-le moi !

ANDRÉE

La prochaine fois que tu viendras à la
maison, je l'inviterai . . .

SOPHIE

(TON D'ENFANT GÂTÉE) Non ! tout de
suite !

ANDRÉE

Tu trouves que c'est le temps de faire
des mondanités ? après ce qu'il a dû
entendre hier ? et quand ton père risque
à tout moment de faire une seconde
entrée triomphale ?

213

SOPHIE

Papa, il en a encore pour des heures
à roupiller... D'autant plus qu'on est
samedi! Un employé de banque, le
samedi matin... ça dort!... D'ailleurs,
il sera doux comme un agneau... Je
les connais, ses lendemains! Il te de-
mandera de l'aspirine... Tu en as?...
(SUPPLIANTE) Écoute... juste une
minute!... Demande à ton Alain de
descendre... Dis-lui que je voudrais le
connaître/

ANDRÉE

Commence par aller prendre une douche
et t'habiller!

SOPHIE

Alors, c'est oui? tu l'appelles? (ÉTREI-
GNANT SA MÈRE)
Amour!... Amour!... Tu es un amour!

ANDRÉE

(PENDANT QUE SOPHIE S'ÉLOIGNE)
Tu sais, Sophie... s'il arrivait que tes
sentiments pour François... varient...
S'il arrivait que tu passes d'une saison
à une autre... (POUR ELLE-MÊME)
comme un arbre... Enfin... s'il t'arrivait d'être malheureuse ou déçue et de
vouloir revenir à la maison...

SOPHIE

(ÉLOIGNÉE) Oui... maman... je
sais...

ANDRÉE COMPOSE LE NUMÉRO
D'ALAIN QUI JOUE TOUJOURS. AU
MOMENT OÙ ELLE A FINI DE COMPO-
SER, LA MUSIQUE S'ARRÊTE NET.
PENDANT LA CONVERSATION TÉLÉ-
PHONIQUE, LA VOIX D'ALAIN EST
ENTENDUE AVEC « FILTRE ». UN FIL-
TRE CEPENDANT DIFFÉRENT DU
FILTRE-ÉCHO UTILISÉ AU DÉBUT
POUR JEANNE.

ANDRÉE

Alain ?

ALAIN (OFF)

Bonjour, saltimbanque ! Alors, on s'est
bien amusé ?

ANDRÉE

Écoute Alain, il y a là ma fille . . .

ALAIN (OFF)

Je sais ! Il y a également ton ex-mari,
je crois ?

ANDRÉE

Laurent dort comme une souche et
Sophie voudrait te connaître.

ALAIN (OFF)

Alors, c'est un dortoir que tu as dû
installer ?

ANDRÉE

(DÉSOLÉE. PITEUSE) Tu as entendu !... Tu n'as pas dormi !

ALAIN (OFF)

Pas du tout ! J'ai mis mes boules Quiès... Je suis frais comme ce bouquet de roses dont tu n'as pas voulu et que j'ai encore sous les yeux !... Ta fille veut voir ton amant ? J'arrive !

ANDRÉE RACCROCHE EN SOUPIRANT. ON ENTEND LA FENÊTRE S'OUVRIR.
LES VOIX D'ABORD LOINTAINES SE RAPPROCHENT PEU À PEU DU MICRO.

ALAIN

Nous allons lui montrer un beau revers de médaille ! On s'embrasse ?... C'est tout ?... C'est comme ça qu'on dit merci pour une douzaine de roses rouges ?

ANDRÉE

Alain ! pas si fort... (NERVEUSE) Merci... donne...

ALAIN

Alors, où est-elle cette jeune personne dont tu m'as si souvent vanté les charmes ?

ANDRÉE

Baisse le ton!... Elle se fait belle...
à côté!

ALAIN

Qu'est-ce que tu as à me regarder
comme un oiseau rare?

ANDRÉE

Je te trouve... jeune!... (ATTENDRIE)
Les imprévisibles comportements de la
jeunesse! J'étais certaine que tu bou-
derais pendant trois jours!

ALAIN

Pourquoi? (FAUSSEMENT ÉTONNÉ)
Je suis premier violoncelle à l'orchestre,
mais ici, je joue les seconds violons...
c'est convenu, vécu, accepté!/

ANDRÉE

Sophie adore la musique; c'est pour
cette raison qu'elle m'a demandé/

ALAIN

Laisse-moi terminer ma phrase... Un
second violon qui grince et qui fausse!

ANDRÉE

et qu'on remet dans sa boîte quand on
n'en a plus besoin... Je connais la
ritournelle! Je savais bien que tu me
ferais une scène!... mais ce n'est pas

le moment! Aide-moi plutôt... Tiens,
va remplir ce vase au robinet du jardin;
la salle de bains est occupée...

ALAIN

(S'ÉLOIGNANT) Ce que j'en disais,
c'était pour la forme! Je sais bien que
tu ne changeras jamais d'idée! Une vraie
mule!

ANDRÉE

(TOUTE SEULE. TOUT BAS) Oui...
une mule divorcée qui n'a pas envie de
se remarier...

ON ENTEND DE LOIN L'EAU COULER
DANS LE VASE ET ALAIN REVIENT.

ALAIN

Voilà!

ANDRÉE

Nous avons inventé un bien joli bonheur,
Alain... Ne cherche pas toujours à dé-
truire ce que nous avons bâti ensemble
pendant ces deux années/

ALAIN

(BOUDEUR) Un bonheur à deux étages/

ANDRÉE

(RIANT) Oui... comme un gâteau de
noces!

218

SOPHIE
(VOIX OFF DERRIÈRE UNE PORTE)
Maman ? il est là ?

ANDRÉE
(VOIX UN PEU HAUSSÉE) Oui Sophie,
tu arrives ?

PORTE QUI S'OUVRE.

ANDRÉE
(VOIX NORMALE) Approche ... que je
te présente Alain ... (UN TEMPS)
Alain ... voici ma fille ... (TROUBLÉE)
Eh bien ! ... approche Sophie ! ... (UN
TEMPS) ... (EMBARRASSÉE) qu'est-
ce que vous avez tous les deux ? vous
êtes muets ? paralysés ? (UN TEMPS.
TAQUINE MAIS INQUIÈTE) Allons mes
enfants ... est-ce là ce qu'on appelle
« un coup de foudre ? » ou bien « le con-
traire ? » ...
(SE REPRENANT. PRESQUE MON-
DAINE)
Alain n'est-il pas un voisin adorable
Sophie ? au lieu de nous en vouloir pour
sa nuit blanche, il nous apporte des
fleurs !

SOPHIE
Moi, à votre place ... Vous n'aviez donc
pas quelque géranium en pot sous la
main ?

ALAIN
Je me fais tellement de bruit moi-même

à cœur de jour/

SOPHIE
Vous appelez ça du bruit ?

ANDRÉE
Je vous ai dit que ma fille est folle de
la musique !... en général ... mais de
la vôtre en particulier !

ALAIN
(INSOLENT) Qu'est-ce qui te prend de
me dire « vous », Andrée ?

ANDRÉE
(BOULEVERSÉE) Mais ... mais ... c'est
que/

SOPHIE
Voyons, maman ! Ta recette ! La sincérité ?

ANDRÉE
(TRÈS MAL À L'AISE) Je ... je ne sais
plus où j'en suis ce matin !... Tu sais,
Sophie ... nous sommes voisins depuis
deux ans ... Forcément, il s'est établi
entre nous ... une sorte ... d'intimité/

ALAIN
Andrée !... ta fille n'est donc pas au
courant ?/

SOPHIE

Savez-vous, monsieur, que ma mère
est écrivain ? et que c'est moi qui dé-
chiffre ses brouillons pour les taper ?

ALAIN

Je sais qu'elle écrit, mais à moi elle a
toujours refusé de montrer la moindre
phrase.

SOPHIE

Elle a bien fait !

ANDRÉE

Allons, Sophie ! je ne suis pas écrivain
parce que je rédige... enfin... parce
que je tiens une sorte de journal...

SOPHIE

Justement ! Les vrais écrivains, ils commencent par écrire pour eux ! même
quand ils appellent ça des romans ! et
leurs personnages, ce n'est pas dans
la lune qu'ils les trouvent !/

ANDRÉE

Où veux-tu en venir ? Je t'assure que
c'est grotesque !

SOPHIE

Je veux simplement dire à... « Alain »...
qu'il porte un autre prénom sous ta
plume. Pour certaines raisons de camou-

flage, courantes en littérature, tu lui as
fait des tempes grises... en te vieillis-
sant toi aussi ! Mais j'ai vu clair il y a
belle lurette ! et j'ai reconnu « ce monsieur » en le voyant !... Il est d'ailleurs
bien plus authentique sur papier qu'en
chair et en os... avec l'air arrogant qu'il
se donne en ce moment pour être à
mon diapason/

ANDRÉE

Ça suffit ! Tu te crois intelligente ? (SÉ-
VÈRE) Tu es contente ?... Ce numéro-
là aussi tu pourrais peut-être le proposer
à ton « manager » ? Pour l'instant, tu
vas me faire le plaisir de ramasser tes
affaires et d'aller faire tes courses.

SOPHIE

(BUTÉE) Non. Je regrette, mais je m'in-
cruste !

LAURENT

(VOIX ÉLOIGNÉE. DERRIÈRE LA POR-
TE) Andrée, tu as de l'aspirine ?

SOPHIE

(TRIOMPHANTE ET POUFFANT DE
RIRE) Qu'est-ce que je t'avais dit ?

ANDRÉE

(NERVEUSE) Sortez tous les deux par
la porte du jardin et tâchez de vous
parler sur un autre ton... (SE RETI-

RANT. VOIX EN FADE-OUT) Je vais m'occuper de mon malade...

SOPHIE
Qu'est-ce que vous faites?

ALAIN
(SÈCHEMENT. VOIX ÉLOIGNÉE) Ça se voit! Je retourne à mon « bruit »!

SOPHIE
Alain?

ALAIN
Oui?

SOPHIE
Pourquoi insultez-vous ma mère devant moi? (UN TEMPS)... Hausser les épaules et filer à l'anglaise, ce n'est pas une réponse!... Venez ici...

ALAIN
(IRONIQUE. VOIX ENCORE ÉLOI-GNÉE) Pour faire également la connaissance de votre père? Non merci!

SOPHIE
Mon père, il a plusieurs choses à faire avant de se présenter au salon... Venez vous asseoir... je veux vous parler... C'est gentil ces roses! Vous

lui en offrez souvent? Moi, j'aime bien les hommes qui pensent à offrir des fleurs... Malheureusement, ce n'est pas le genre de François! Il dit que l'amour se prouve autrement...

ALAIN
(VOIX NORMALE) Et comment vous le prouve-t-il?

SOPHIE
En essayant de devenir médecin... mais vous pensez bien que je ne suis pas dupe... Sans amour pour moi, il deviendrait médecin tout de même...

ALAIN
Votre mère n'aime pas cette liaison.

SOPHIE
Elle vous l'a dit?

ALAIN
Non, mais je le sens.

SOPHIE
Les choses ne vont pas s'arranger après ce qu'elle vient d'apprendre!

ALAIN
Comment?

224

SOPHIE

Si ma « liaison » lui déplaît... « mon métier n'a pas l'heur de lui plaire non plus ! »

ALAIN

Quel métier ? Vous n'êtes pas étudiante ?

SOPHIE

Il faut bien que quelqu'un se dévoue ! Se sacrifier pour la « médecine », pensez ! Ça vaut la peine !

SOPHIE

(ENCHAÎNANT) J'ai quelque chose à vous proposer... Il me semble... que ça vous amuserait... que ça vous changerait...

ALAIN

Quoi donc ?

SOPHIE

Et puis... vous seriez soliste !

ALAIN

Où ?

SOPHIE

(COMME POUR ELLE-MÊME) On peut dire que c'est facile de causer avec vous ! Voyons... (RÉFLÉCHISSANT)

225

Est-ce possible, au violoncelle, de faire des choses un peu plus... un peu moins... sévères... rigides?

ALAIN

Pourquoi?

SOPHIE

Ce que vous étiez en train de travailler hier soir, est-ce que c'est possible de... rythmer ça un peu... différemment... de rendre ça un peu plus... « érotique »! voilà!

ALAIN

Mais... à la fin... pourquoi?

SOPHIE

Si on montait chez vous?... Ça vous intéresserait, une sorte de duo avec moi?

ALAIN

(MOQUEUR) Alors, on oublie déjà le solo? De quel instrument jouez-vous?

SOPHIE

(COQUETTE. ENJÔLEUSE) Ah! cher Alain de mon cœur!... le plus bel instrument du monde!... Souple... docile... félin... voluptueux... « Tu » m'invites?

226

ALAIN

Très bien . . . venez . . . Non ! par ici !

SOPHIE

(TRÈS AMUSÉE) Par la fenêtre ?

ALAIN

J'aime les plus courts chemins, pas
« toi » ?

SOPHIE

(RIEUSE. HAUSSANT LA VOIX POUR
S'ADRESSER À SA MÈRE) Maman !
si François téléphone, dis-lui que je ne
rentre pas pour seize heures . . . qu'il
vienne me chercher comme d'habitude . . . en fin de soirée !

ILS SORTENT EN RIANT. ANDRÉE ET
LAURENT ENTRENT.

DURANT LA SCÈNE ANDRÉE-LAU-
RENT, ON ENTENDRA LE VIOLON-
CELLE EN SOURDINE, À INTERVAL-
LES IRRÉGULIERS COMME UNE PRA-
TIQUE ENTRECOUPÉE D'OBSERVA-
TIONS.

ANDRÉE

Ça va mieux ?

LAURENT

Oui . . . merci.

ANDRÉE
Tu ne vas plus au chalet le samedi ?

LAURENT
Je l'ai vendu.

ANDRÉE
Ah ?

LAURENT
Bien oui ... je l'ai vendu ... Tu crois toujours que l'argent pousse dans les arbres ? Eh bien ! pas dans ces arbres-là qui sont pourris, tu le sais !

ANDRÉE
(BOULEVERSÉE) Laurent ... nous nous sommes juré, quoi qu''il arrive ... de ne jamais faire allusion/

LAURENT
Excuse-moi, j'ai des ennuis !

ANDRÉE
Sophie m'en a parlé. À propos, il me semble que tu devrais éviter de tout lui dire, à cette petite !

LAURENT
Cette petite ! cette petite ! Il faudrait bien que tu finisses par t'apercevoir que ta fille a vieilli !

ANDRÉE

Pas au point que tu puisses la prendre
pour confidente de ta vie privée!

LAURENT

Ce n'est un secret pour personne que
Mérineau occupe le poste auquel j'as-
pirais.

ANDRÉE

Je parlais de ta vie... sentimentale...

LAURENT

Ça ne regarde que moi!

ANDRÉE

Justement! Pas Sophie! Au lieu de la
scandaliser et d'aller faire le clown dans
les boîtes de nuit, tu ne ferais pas mieux
d'essayer de la sortir du pétrin où j'ai
bien l'impression qu'elle s'est mise?

LAURENT

Et comment, je te prie? Tu as réussi,
toi? C'est pourtant à toi que le juge l'a
confiée!

ANDRÉE

Il m'a confié un courant d'air! un feu
roulant! une tornade!... C'est vrai que
j'ai échoué! et que le jour où elle m'a
annoncé qu'elle s'en allait vivre avec un
garçon, j'ai poussé un soupir de soula-

gement... Que veux-tu c'est Jeanne
qui l'a élevée... Moi, je n'ai jamais su
comment m'y prendre avec elle/

LAURENT

Parce que tu n'as jamais eu les deux
pieds sur terre!... Qu'est-ce que c'est
que ces fleurs? Tu t'offres des roses?

ANDRÉE

Et si ça se trouvait!... C'est une remise
en question « budgétaire » que tu veux?

LAURENT

Ça se chiffre à combien par mois, cet
appartement déjà?

ANDRÉE

Laurent, si tu tiens à une prise de bec
sur ce terrain-là, tu passeras par les
voies légales... C'est déjà bien beau
de ma part de supporter ta présence
ici... après l'esclandre d'hier... Pour la
vie matérielle... je m'arrange... Pour
le reste aussi! et même si cela risque de
te contrarier, je te dirai que je suis heureuse... très calme et très heureuse...
Maintenant... si tu veux me couper les
vivres/

LAURENT

Tu écris à ce qu'il paraît (IRONIQUE)
Espères-tu gagner ta vie de cette façon-
là?

230

ANDRÉE

Ce n'est pas une mauvaise idée...
(RÉFLÉCHISSANT. AMUSÉE) J'écris
nos douces mémoires et je les publie
par tranches dans une revue à gros
tirage... Bien entendu, je signe le tout
d'un pseudonyme!... Ceci étant réglé,
parlons plutôt de toi... Sophie m'a dit
que tu ne te sens pas bien... Tu as
subi des examens... des radios?

LAURENT

« Eux »... ils ont besoin de ça pour
savoir, mais moi, je sens!... Ça fait
combien de temps que tu m'as vu marcher?

ANDRÉE

(RÉPRIMANT UNE ENVIE DE RIRE)
Quelques heures à peine!... On ne
peut pas dire en effet que tu marchais
bien droit!

LAURENT

Amuse-toi, si tu veux, mais regarde...
tiens... et c'est ce que je puis faire de
mieux, je te jure!

ANDRÉE

(REDEVENUE SÉRIEUSE) C'est douloureux?

LAURENT

Tu vas dire encore que je veux t'attendrir!

ANDRÉE

Parce que je ne peux pas m'empêcher de le penser, Laurent! C'est la même chose deux fois par année... Tu te plains... tu énerves tout le monde... tu consultes... et finalement, les résultats d'examens sont, à tout coup, formels : tout va bien... tout est normal... Juste un peu d'arthrite... Nous vieillissons, mon ami...

LAURENT

Oui... nous vieillissons... et nous mourrons! en laissant un beau gâchis derrière nous!

ANDRÉE

Parle pour toi! Moi, je pense autrement!

PASSAGE MUSICAL ACCENTUÉ.

LAURENT

Tu endures ça toute la journée?... (IL ENCHAÎNE) Pour Sophie, as-tu l'intention de faire quelque chose?

ANDRÉE

Surtout pas! C'est d'ailleurs moi qui t'ai demandé d'agir.

LAURENT

Tu le connais, ce godelureau de François?

232

ANDRÉE

Ce n'est pas un « godelureau »... c'est
même un étudiant si sérieux et si...
ennuyeux... que je me demande comment Sophie peut vivre avec lui !

LAURENT

Les contraires s'attirent !

ANDRÉE

Ils s'attirent, oui, mais le succès est loin
d'être assuré s'ils se rencontrent.

LA MUSIQUE SE TRANSFORME NET-
TEMENT DANS LE SENS DE SOPHIE.
LONGUEUR DU PASSAGE AD LIB.

LAURENT

Que veux-tu dire ?

ANDRÉE

Je veux dire que Sophie est déjà fatiguée de son amant... Et le plus malheureux, c'est qu'elle n'aura pas tiré
grand chose de cette expérience...
J'avais pensé que François au moins
serait arrivé à lui mettre un peu de
plomb dans la cervelle !

LAURENT

Penses-tu ! Pas fou, ce garçon ! Il l'en-
courage... Il applaudit !... C'est son
intérêt... Une petite putain dans son

lit, et qui « rapporte », c'est bien mieux qu'une étudiante . . . que l'amour et l'eau claire !/

ANDRÉE

(OUTRÉE) C'est dégoûtant ce que tu dis ! Veux-tu savoir ? Quand tu sors de cette maison, j'arrive à t'oublier complètement ! . . . Je ne me demande même plus comment il se fait que je t'ai épousé . . . je t'oublie ! ! ! C'est comme un trou de mémoire . . . Tous ces mensonges . . . cette hypocrisie . . . ces calculs . . . Je fais le vide !

LAURENT

(MALHEUREUX) Pas moi, Andrée ! . . . Pas une minute . . . Pas une seconde . . . (TRÈS BAS) Je t'aime encore . . . (UN TEMPS) Ces mensonges dont tu parles, c'est toi qui les as inventés ! parce que j'étais dans la forêt avec Jeanne . . . tout à fait par hasard . . . si près d'elle qu'en voulant la protéger, je me suis cassé les reins !

ANDRÉE

(VOIX SOURDE ET RANCUNIÈRE) Assez, Laurent, assez ! Tu avais promis de ne plus parler de ça !

LAURENT

(CYNIQUE) Mais tu sais bien que les hommes ne tiennent jamais leurs promesses ! . . . (UN TEMPS. RADOUCI.

IL ÉVOQUE) Nous aimions la nature, Jeanne et moi... Nous aimions le danger aussi... Les coups de fusils des chasseurs!... la cognée des bûcherons... Ça nous attirait... Pourtant, ce jour-là... pas un bruit! seulement le crissement des feuilles mortes sous nos pas... Jeanne voulait voir des perdrix... Elle restait immobile de longs moments, un doigt sur la bouche, l'œil aux aguets... De loin, elle me faisait signe d'en faire autant... mais quand j'ai vu cet arbre géant vaciller sur sa base... quand j'ai entendu ce craquement formidable... comme une détonation... j'ai crié!

ANDRÉE
(EN PLEURANT) Tais-toi, Laurent.

LAURENT
Si seulement je n'avais pas crié!... C'est de moi qu'elle a eu peur... Elle n'a pas eu le temps de comprendre... Au lieu de venir vers moi, elle a couru vers l'arbre... qui tombait... (TRÈS TROUBLÉ) Et parce que tu as vu deux corps en lambeaux, l'un sur l'autre dans les branchages... tu as cru...

ANDRÉE
(COMME EN RÊVE) Tu t'es jetée sur elle comme une bête furieuse... Elle me l'a dit...

235

LAURENT

Tu deviens folle ou quoi?... Comment aurait-elle pu le dire? Elle n'a plus jamais parlé.

ANDRÉE

Elle n'a jamais cessé de me parler... C'était ma sœur... nous nous aimions...

VOIX DE SOPHIE QUI DÉVALE L'ESCALIER.

SOPHIE (OFF)

Maman?... Maman, tu as entendu?...

SOPHIE

(VOIX NORMALE) Salut «Don Quichotte»! Pas trop mal aux cheveux?

ANDRÉE

Sophie, ton père va te ramener chez toi.

SOPHIE

Tu n'as pas fait mon message à François?

ANDRÉE

Il n'a pas téléphoné. De toute façon, je ne l'aurais pas fait, ton message. Fais ce que François demande ou bien va t'expliquer toi-même avec lui!

236

SOPHIE

En voilà une nouveauté! Des ordres?
(DÉSINVOLTE) Laurent, je dois dire que
tu as bien mauvaise mine! Mais...
qu'est-ce que vous avez tous les deux?
vous avez pleuré? (REVENANT À CE
QUI LA PRÉOCCUPE. ENTÊTÉE) Je
ne ferai pas ce que François demande... Alain m'invite à déjeuner et j'y
vais... Nous avons à discuter d'un
projet.

ANDRÉE

Voilà, Laurent! un très bel échantillon
de mon autorité!

LAURENT

Quel projet, Sophie?

SOPHIE

(INTRIGANTE) Tu viendras où tu sais
vendredi prochain! tu verras!... Même
que tu pourrais sortir Andrée de sa
tour d'ivoire pour une fois! ça lui ferait
du bien de voir le monde! (VOIX ÉLOI-
GNÉE) Bye! Bye!

LAURENT

Un beau gâchis... (ON SENT L'EF-
FORT QU'IL FAIT POUR SE LEVER)
À bientôt Andrée!... Je m'en vais moi
aussi...

ANDRÉE

Tu me diras le résultat des radios?

LAURENT

Oui . . . je me rappellerai à ta mémoire . . .
défaillante ! (LA VOIX S'ÉLOIGNE)
Salut ! . . . Ne t'inquiète pas pour la pension ! . . . Salut !

ANDRÉE

(TRÈS BAS. POUR ELLE) Laurent !
(TOUT BAS ENCORE, MAIS COMME
POUR APPELER :) Jeanne !

PENDANT TOUTE CETTE DERNIÈRE
SCÈNE : LÉGER BRUITAGE ÉVO-
QUANT UNE FORÊT . . . VENT DANS
LES FEUILLES . . . ETC., ETC.

JEANNE

(VOIX FILTRE-ÉCHO COMME AU DÉ-
BUT MAIS CETTE FOIS : TOUT EN
DOUCEUR) Bonjour Andrée ! Te voilà
seule de nouveau . . . vraiment seule
cette fois . . . Enfin ! . . .

ANDRÉE

Oui Jeanne . . .
Comme tu es belle ! . . . Tu ne vieillis
plus ! . . .

JEANNE

C'est la saison des perdrix . . . Je me
suis endormie comme l'une d'elles, au
creux des feuillages . . . Invisible . . .

ANDRÉE

La mort t'a trouvée quand même...

JEANNE

Mais non, puisque je suis là... dans ta pensée... dans ton cœur...
De quoi veux-tu que nous parlions, dans le silence?

ANDRÉE

Oui... c'est cela... « en silence »... raconte-moi nos verts paradis... Raconte-moi notre amour... Dis-moi la vérité sur toutes choses... Jeanne...

JEANNE

(CHUCHOTANT) Allume d'abord le papier d'Arménie...

FIN

TABLE DES MATIÈRES

ARIOSO

LE PAPIER D'ARMÉNIE

Achevé d'imprimer
par les travailleurs de
Les Imprimeries Stellac Inc.
en janvier mil neuf cent quatre-vingt-deux
pour Le Cercle du Livre de France